D1107758

La collection
ROMANICHELS POCHE
est dirigée par
André Vanasse

Dans la même collection

Aude, *Cet imperceptible mouvement.*
Aude, *La chaise au fond de l'œil.*
Aude, *L'enfant migrateur.*
Noël Audet, *Frontières ou Tableaux d'Amérique.*
Yves Boisvert, *Aimez-moi.*
André Brochu, *La Grande Langue. Éloge de l'anglais.*
Brigitte Caron, *La fin de siècle comme si vous y étiez (moi, j'y étais).*
Claire Dé, *Le désir comme catastrophe naturelle.*
Jean Désy, *Du fond de ma cabane. Éloge de la forêt et du sacré.*
Louise Dupré, *La memoria.*
Louis Hamelin, *La rage.*
Louis Hamelin, *Ces spectres agités.*
Louis Hamelin, *Cowboy.*
Julie Hivon, *Ce qu'il en reste.*
Louis-Philippe Hébert, *La manufacture de machines.*
Sergio Kokis, *Errances.*
Sergio Kokis, *La gare.*
Sergio Kokis, *Negão et Doralice.*
Sergio Kokis, *Le pavillon des miroirs.*
Micheline La France, *Le visage d'Antoine Rivière.*
Daniel Pigeon, *La proie des autres.*
Hélène Rioux, *Chambre avec baignoire.*
Régine Robin, *L'immense fatigue des pierres.*
Régine Robin, *La Québécoite.*
Jean-Paul Roger, *L'inévitable.*
Bruno Roy, *Les calepins de Julien.*
Jocelyne Saucier, *Les héritiers de la mine.*
Denis Thériault, *Le facteur émotif.*
Denis Thériault, *L'iguane.*
Adrien Thério, *Conteurs canadiens-français (1936-1967).*
Pierre Tourangeau, *Larry Volt.*
France Vézina, *Osther, le chat criblé d'étoiles.*

Banc de brume
ou
Les aventures de la petite fille que l'on croyait partie avec l'eau du bain

De la même auteure

Claudette Charbonneau-Tissot, *Contes pour hydrocéphales adultes*, Montréal, Éditions Pierre Tisseyre, 1974.

Claudette Charbonneau-Tissot, *La contrainte* (nouvelles), Montréal, Éditions Pierre Tisseyre, 1976.

Claudette Charbonneau-Tissot, *La chaise au fond de l'œil* (roman), Montréal, Éditions Pierre Tisseyre, 1979 ; Montréal, XYZ éditeur, coll. « Romanichels poche », 1997.

Aude, *Les petites boîtes*, 2 tomes (contes pour enfants), Montréal, Éditions Paulines et Arnaud, 1983.

Aude, *L'assembleur* (roman), Montréal, Éditions Pierre Tisseyre, 1985.

Aude, *Banc de brume ou Les aventures de la petite fille que l'on croyait partie avec l'eau du bain* (nouvelles), Montréal, Éditions du Roseau, coll. « Garamond », 1987.

Aude, *Cet imperceptible mouvement* (nouvelles), Montréal, XYZ éditeur, coll. « Romanichels », 1997 ; Montréal, XYZ éditeur, coll. « Romanichels poche », 1997.

Aude, *La chaise au fond de l'œil* (roman), Montréal, XYZ éditeur, coll. « Romanichels poche », 1997.

Aude, *L'enfant migrateur* (roman), Montréal, XYZ éditeur, coll. « Romanichels », 1998 ; Montréal, XYZ éditeur, coll. « Romanichels poche », 1999.

Aude, *L'homme au complet* (roman), Montréal, XYZ éditeur, coll. « Romanichels », 1999.

Aude, *Quelqu'un* (roman), Montréal, XYZ éditeur, coll. « Romanichels », 2002.

Aude, *Chrysalide* (roman), Montréal, XYZ éditeur, coll. « Romanichels », 2006.

Aude

Banc de brume
ou
Les aventures de la petite fille que l'on croyait partie avec l'eau du bain

nouvelles

Catalogage avant publication de Bibliothèque et Archives Canada

Aude, 1947-

Banc de brume, ou, Les aventures de la petite fille que l'on croyait partie avec l'eau du bain : nouvelles

(Romanichels poche)

Éd. originale : Montréal : Du Roseau, [1987 ?].

Publ. à l'origine dans la coll. : Collection Garamond.

ISBN 978-2-89261-481-7

I. Titre. II. Titre : Aventures de la petite fille que l'on croyait partie avec l'eau du bain. III. Collection.

PS8589.I77B36 2007 C843'.54 C2007-940194-5

PS9589.I77B36 2007

La publication de cet ouvrage a été rendue possible grâce à l'aide financière du ministère du Patrimoine canadien par l'entremise du Programme d'aide au développement de l'industrie de l'édition (PADIÉ), du Conseil des Arts du Canada (CAC), du ministère de la Culture et des Communications du Québec (MCCQ) et de la Société de développement des entreprises culturelles (SODEC).

Édition originale : Éditions du Roseau, 1987.

XYZ éditeur
1781, rue Saint-Hubert
Montréal (Québec)
H2L 3Z1
Téléphone : 514.525.21.70
Télécopieur : 514.525.75.37
Courriel : info@xyzedit.qc.ca
Site Internet : www.xyzedit.qc.ca

et

Aude

Dépôt légal : 1er trimestre 2007
Bibliothèque et Archives Canada
Bibliothèque et Archives nationales du Québec
ISBN 978-2-89261-481-7

Distribution en librairie :

Au Canada :
Dimedia inc.
539, boulevard Lebeau
Ville Saint-Laurent (Québec)
H4N 1S2
Téléphone : 514.336.39.41
Télécopieur : 514.331.39.16
Courriel : general@dimedia.qc.ca

En Europe :
D.E.Q.
30, rue Gay-Lussac
75005 Paris, France
Téléphone : 1.43.54.49.02
Télécopieur : 1.43.54.39.15
Courriel : liquebec@noos.fr

Droits internationaux : André Vanasse, 514.525.21.70, poste 25
andre.vanasse@xyzedit.qc.ca

Conception typographique et montage : Édiscript enr.
Maquette de la couverture : Zirval Design
Photographie de l'auteure : Christian Desjardins
Illustration de la couverture : Egon Schiele, *Petite fille en robe jaune et bas noirs*, 1911

Aude ou le réel voilé

Déroutant. Complexe. Envoûtant. Étrange. Les épithètes ne manquent pas quand il s'agit de décrire l'univers d'Aude. Comme si elle avait voulu confondre davantage la critique, l'auteure a changé de nom, puis de manière, passant d'un style baroque et foisonnant à une narration simple et dépouillée. Mais jamais Aude ne s'est départie de ce qui la caractérise le plus : une recherche d'authenticité de plus en plus poussée, une quête incessante de ce qui se cache derrière les apparences. Toujours elle reste fidèle à son besoin de transcender le réel, voire de le transfigurer, d'en extraire la sève symbolique et d'en peindre les plus saisissants tableaux.

Un monde à part

À quelle esthétique, à quel sous-genre l'œuvre d'Aude correspond-elle ? Onirisme ? Fantastique ? Réalisme ? Surréalisme ? Et si la réponse était… toutes ces réponses. Les sentiments de bienveillance, de peur et d'angoisse, ainsi que les états de grâce dont l'écrivaine rend compte, font bel et bien partie de notre lot quotidien. Mais le regard perçant qu'elle pose sur les objets et les êtres par le truchement de ses personnages finement incarnés paraît un rien décalé, juste un peu déphasé. Le réel audien aime se parer d'un voile qui lui confère des contours flous, imprécis et intrigants. Michel Lord dirait d'Aude qu'elle use d'un discours « paralogique », qu'elle parle autour des choses. Plus encore : « Aude déborde les cadres de la tradition narrative en jouant, depuis le début de son œuvre, à la frontière des esthétiques [...] [1]. »

Dans un désir avoué de mieux les cerner, on a longtemps associé les textes d'Aude au registre du fantastique. Force est de reconnaître que ce sous-genre, qui juxtapose réalisme et éléments surnaturels selon une dynamique tensive, *peut*, a priori, contenir toutes ses nouvelles où un personnage, confronté à l'inexplicable, résiste jusqu'à la sanction ultime (la mort, physique ou psychique). On peut penser, entre autres, à « Mutation », nouvelle tirée du premier recueil de l'auteure [2]. Ce texte fondateur met déjà en place les divers éléments, dramatiques et symboliques, qui caractériseront l'univers de la nouvellière et romancière incontournable qu'elle est devenue : enfermement, fuite, transformation positive/négative et retour. Lord qualifie le fantastique de « Mutation » de « psychologique et même [de] psychopathologique [3] », soulignant du coup l'attention portée à l'humain et à ses tourments intérieurs. Si, au fil du temps, Aude s'éloignera progressivement du sous-genre fantastique pour se tourner du côté du réalisme, elle y aura occupé un espace d'intense liberté.

C'est dans ce contexte qu'elle aura fourbi ses armes de nouvellière, qu'elle aura développé un goût prononcé pour la métaphore filée, la portée symbolique des mots, les sonorités évocatrices et la justesse du ton. Pour l'auteure, la création littéraire procède d'un élan ludique, les mots

1. Michel Lord, « Aude. Les métamorphoses de la chrysalide », *Québec français*, n° 108, hiver 1998, p. 80.
2. Claudette Charbonneau-Tissot, *Contes pour hydrocéphales adultes*, Montréal, CLF, 1974, p. 43-72.
3. Michel Lord, « L'écriture fantastique au Québec depuis 1980 », *Présence francophone*, n° 42, 1993, p. 171.

menant aux mots, les images surgissant de l'inconscient tout en s'agençant selon une logique implacable : celle du rêve. Les textes d'Aude ressemblent à ces songes dont on sait qu'ils sont des songes, mais dont on ne peut s'extraire. Le corps, immobilisé par le sommeil, demeure prisonnier de sa vision, mais plus souvent de son cauchemar et, au réveil, on se demande si tout ce dont on a été témoin n'est pas, finalement, plus vrai que la réalité.

Banc de brume... vingt ans plus tard

Il y a vingt ans, Aude publiait pour la première fois *Banc de brume ou Les aventures de la petite fille que l'on croyait partie avec l'eau du bain*[4]. À l'époque, nombre de critiques hésitaient encore quant au tiroir dans lequel il fallait ranger l'œuvre. En 1987, Réginald Martel tentait tour à tour d'accoler au recueil les étiquettes les plus diverses : « féministe », « fantastique » et « réaliste ». Aude les refusa toutes, puisqu'elle tenait déjà l'écriture pour souveraine. N'ont d'importance que la voix et les images offertes au lecteur.

Encore aujourd'hui, pour cette nouvellière et romancière accomplie, le processus créateur ne doit pas s'encombrer d'une quelconque intentionnalité, que cette dernière soit d'ordre idéologique ou esthétique. Ce qui compte, c'est le texte lui-même, et les mots qui ont permis d'y accéder. L'écriture, si elle est libre, peut mener « à un autre niveau de conscience[5] », dira-t-elle. Comme pour abonder dans ce sens, en 1987, la quatrième de couverture de *Banc de brume*... consistait en un extrait de « Crêpe de Chine » :

4. Aude, *Banc de brume ou La petite fille que l'on croyait partie avec l'eau du bain*, Montréal, Éditions du Roseau, coll. « Garamond », 1987.
5. Réginald Martel, « *Banc de brume* : un livre sur une corde, qui ne bascule ni d'un côté, ni de l'autre », *La Presse*, Montréal, samedi 18 avril 1987, p. E3.

> J'ai choisi de t'accueillir ici. Loin des grandes villes où tu m'aurais vite replacée dans l'image de moi que tu gardes, depuis des années, dans ta tête, comme une idée fixe. Loin des grandes villes où tu te serais trop facilement reconnu puisqu'en plusieurs d'elles on retrouve l'Occident. Mais loin aussi des contrées trop exotiques, des îles trop marginales où tu aurais pris peur et te serais effarouché. Peut-être même enfui.
> Ce que j'ai à te montrer de moi est à mi-chemin entre ces mondes[6].

« À mi-chemin entre ces mondes » signifie ici, entre l'Est et l'Ouest, mais aussi et surtout entre le visible et l'invisible, entre ce qui crève les yeux et ce qui est caché. Ainsi, tout lecteur pressé de découvrir les contrées audiennes devrait s'attendre à être désarçonné. À osciller entre deux réalités, entre deux possibles, entre deux renoncements peut-être.

D'une unité exemplaire, les douze textes du recueil *Banc de brume*... s'avèrent également d'une étonnante actualité. La jeune fille anorexique de « La poupée gigogne », trimballée d'un foyer d'accueil à l'autre et qui finit recroquevillée sur elle-même en suçant son pouce, trouve encore un écho de nos jours. De même, la famille dysfonctionnelle de « L'intrus », où règnent la violence et l'inceste, n'a pas été éradiquée de nos sociétés dites évoluées. Enfin, que dire de « La gironde » et de son grabataire abandonné, en quête d'un peu d'affection et de chaleur humaine ?

Certaines nouvelles tirées de *Banc de brume*... mériteraient qu'on leur accorde le statut de « classique ». « Les voyageurs blancs », « La montée du loup-garou » et « Fêlures » font sans doute partie du nombre. On ne saurait oublier non plus le texte initial du recueil, « Le cercle métallique », qui fascine par ses images troublantes

6. Aude, *op. cit.*, , p. 130.

et vraies, et qu'on a souvent interprété comme une métaphore de la lutte des femmes pour se libérer de leur joug. En effet, dans ce texte, une femme, belle et jeune, est enfermée dans une cage de verre et exhibée, telle une sculpture, devant un groupe d'hommes. Un jour, elle devient trop vieille et on décide de l'entreposer avec d'autres dans une sorte d'antichambre de la mort. Or la femme se révolte et parvient à s'approprier une voix et une parole, puis finit par fracasser les parois de sa prison. Elle s'évade mais à sa cheville persiste une chaînette, symbole d'un esclavage passé incitant à la vigilance. « Rangoon ou l'imaginaire enclos », nouvelle finale, raconte l'histoire d'une autre très belle femme qui, une fois étendue dans le lit d'un homme qui la désire, se transforme en une statue de porcelaine. L'homme, impatienté, la fracasse et, du ventre de l'imposante figurine, s'échappe un chat qu'il laisse partir. De telles intrigues ont fait dire à plusieurs qu'Aude était une féministe. Mais sans doute faut-il aller encore plus loin. Car elle est d'abord et avant tout une femme lucide, qui ne détourne pas le regard quand on lui montre une plaie, qui ne ferme jamais les yeux quand on lui présente l'insoutenable. On l'a taxée de morbidité. Oui, Aude parle de la mort. Dans « Les voyageurs blancs », elle lui confère un visage aussi fulgurant que serein, sans oublier d'en souligner le caractère inéluctable. Pour Aude, la mort est toutefois blanche. Blanche et froide comme la neige qui ensevelit la maison de Catherine dans « La montée du loup-garou ». Fine et sonore comme dans « Fêlures », alors qu'une femme se sent disparaître lentement pendant que le verre fragile qui composait son corps se désagrège.

Réduire de telles histoires à leur seule fantasticité paraît fort commode. Après tout, chez Aude, le surnaturel a beau jeu de surgir au milieu du réel, de le rendre plus inquiétant, plus insaisissable. Mais cela évite de passer à côté de l'essentiel, à côté de ces femmes qui se sont perdues, quelque part, les années se succédant sans qu'elles ne s'incarnent vraiment. N'est-ce pas, du reste, ce que suggèrent les personnages de « L'homme à l'enfant » ? Qu'il faut intégrer l'enfant en nous, avec ses blessures et ses peines, sinon nous resterons des adultes incomplets, étrangers aux autres et à nous-mêmes ?

On l'aura compris : on ne peut pas prendre Aude à la légère. Mais on ne peut parler de son œuvre ni de *Banc de brume...* qu'en termes de gravité. La lumière sature parfois le paysage et abreuve le corps minéral de la femme de « Soie mauve », celui, flétri, de Béatrice dans « L'interdite », celui enfin du grand malade de « La gironde ». Parfois, elle se faufile plus difficilement, de sorte qu'on doit la provoquer, comme dans « Rangoon ou l'imaginaire enclos » ou qu'on a à l'appeler, comme dans « L'intrus ». Mais elle finit toujours par poindre, même au cœur de ténèbres les plus denses. Cette touche lumineuse se fait de plus en plus vive au fur et à mesure que l'œuvre audien progresse, et c'est dans *Banc de brume...* qu'elle aura commencé à poindre.

Pour Aude, il semble que la vie consiste, pour ainsi dire, en une succession de moments sombres et d'instants fulgurants où nous devrions nous estimer heureux d'être aveuglés par notre propre vérité : « L'écriture est, pour Aude, [...] un moyen d'accéder à l'invisible et à l'informulable en leur donnant, par l'intermédiaire du texte, une structure visible [7]. » Le texte audien serait donc un intermédiaire, une interface capable d'imprimer le monde en nous, de manière durable, voire indélébile. Dans ses textes, Aude se plaît à multiplier les figures de passeurs. C'est le cas de la femme qui parle dans « Le cercle métal-

7. Melvin B. Yoken, *Entretiens québécois*, Montréal, Pierre Tisseyre, 1989, vol. 2, p. 135.

lique », de Ujjala dans « La montée du loup-garou » ou d'Aude elle-même, puisqu'elle nous incite à dialoguer avec notre ombre et à nous en faire une alliée.

Donner un sens au silence

« On cherchera en vain dans *Banc de brume...* la phrase longue, complexe, qui se noue et se dénoue lentement. Pas de longs paragraphes non plus : souvent, quelques mots à peine [8]. » C'est en ces termes que Réginald Martel souligne le style dépouillé et elliptique de *Banc de brume...* à sa sortie. Dix ans plus tard, quand Aude publie *Cet imperceptible mouvement*, Michel Lord ajoute : « [...] toute l'œuvre nouvellière d'Aude passe de la profusion d'une écriture quasi proustienne à une écriture que je dirais beckettienne [...] [9]. »

Certes, on peut remarquer que l'écriture d'Aude perd de sa touffeur lexicale au fur et à mesure que l'œuvre progresse. C'est d'ailleurs le cas chez nombre d'écrivains qui se rendent compte, avec le temps, que l'abondance de mots n'est en rien garante du sens. De « L'homme à l'enfant », Agnès Whitfield va même jusqu'à dire : « On craint que ce texte, si réduit, quelque peu essoufflé, ne se fonde lui-même dans son propre paysage de neige, qu'il ne s'éteigne une fois pour toutes dans la blancheur envahissante au fond des pages [10]. » De là à reprocher à Aude de manquer de souffle, il n'y a qu'un pas, que Whitfield se garde bien de franchir tant le texte demeure dense et prenant.

8. Réginald Martel, *loc. cit.*
9. Michel Lord, « Émotion, invention et irrévérence », *Lettres québécoises*, n° 87, automne 1997, p. 33.
10. Agnès Whitfield, « Traduire l'étrangeté : de quelques nouvelles d'Aude et de Daniel Gagnon », Michel Lord et d'André Carpentier (dir.), *La nouvelle québécoise au XXe siècle. De la tradition à l'innovation*, Québec, Nuit blanche éditeur, coll. « Les cahiers du CRELIQ », n° 19, 1997, p. 96.

Ce qu'on ne souligne pas assez, en fait, c'est le talent de nouvellière d'Aude. C'est sa façon de maîtriser la phrase, d'en varier le rythme et l'étendue. Son travail ressemble à celui d'une orfèvre, sauf qu'ici les pierres précieuses sont des mots, la syntaxe se transmue en métaux nobles. Dans leur écrin, les bijoux s'entassent, pêle-mêle, chacun brillant d'un éclat unique. Puis, quand leur éclat s'estompe, quand le silence s'installe, quand les alinéas se succèdent comme pour mimer des sanglots, c'est qu'on a atteint les limites du dicible. Ce qui reste informulé ne pouvait pas être dit ni écrit. Ou, alors, il aurait fallu s'étendre pendant des pages et des pages, et rien ne prouve qu'un sens aurait pu être trouvé à tout ce qui arrive :

> Béatrice a été absente neuf ans et trois mois.
> Personne ne sait où elle est allée.
> Son corps est resté couché, sans bouger, sans rien dire, déserté.
> Un jour, elle a rouvert les yeux.
> C'était le mois passé [11].

On dit de la nouvelle qu'elle suppose la brièveté, la concision et l'efficacité. On prétend également qu'elle constitue une façon particulière de raconter le monde : personnages à peine esquissés ou muets, espaces rétrécis, descriptions lapidaires, incipits et chutes de choc. Aude déjoue tous ces clichés, met à mal toutes les formules susceptibles de circonscrire le genre. Aude ne pratique pas le genre de la nouvelle ; elle pratique *son* genre de nouvelle. Pour elle, écrire, c'est comme respirer, avec tout ce que cela comporte d'apnée, de halètements et de soupirs. D'où ces phrases nominales. D'où ces virgules placées en suspens entre deux énoncés apparemment sibyllins.

11. Aude, *op. cit.*, p. 90.

Chez Aude, l'expression « phrase-paragraphe » prend un sens nouveau. Il ne s'agit plus d'une proposition interminable, mais d'un paragraphe si bref qu'on se demande s'il va nous mener quelque part. Parmi ses créatures fantomatiques, au milieu de ses paysages infinis, il faut avancer lentement, comme dans la brume quand on ne voit pas à deux pas devant soi. En outre, il vaut mieux apprécier les pauses qu'Aude aménage pour nous, car ce qui vient ne sera pas de tout repos. Ce qui s'approche sera, toujours, inattendu.

Il y a plusieurs années, alors que j'étais étudiante et que j'aspirais à devenir écrivaine, un professeur m'a tendu quelques feuillets d'un manuscrit anonyme en me disant « essaie d'écrire comme ça ». Le texte m'avait paru déroutant. Complexe. Envoûtant. Étrange. À la parution de *Banc de brume*..., j'ai reconnu « Les voyageurs blancs » et j'ai compris à quel point on avait été exigeant envers moi. De l'exigence naît le doute ; du doute naît la rigueur. De l'écriture ciselée d'Aude, j'aurai appris cela. Cela et tant d'autres choses encore.

CHRISTIANE LAHAIE
Sherbrooke, le 6 décembre 2006

Le cercle métallique

Dans la serre vitrée, c'est moi qu'ils choisirent et emmenèrent.

Ils me déshabillèrent, lavèrent mon corps et mes cheveux dans un grand cérémonial de gestes très lents et de regards obscurs. Ils m'oignirent d'huiles odorantes qu'ils firent pénétrer dans ma peau par de longs attouchements. Ils maquillèrent mes yeux, mes lèvres, mes joues et la naissance de ma gorge. Ils me revêtirent d'une étroite et longue robe de soie largement ouverte sur mes seins. Du côté droit, à partir de la hanche, la robe était fendue. Ils mirent des bagues à mes doigts, des colliers à mon cou. À ma cheville droite, ils attachèrent une minuscule chaîne d'or.

Ils me firent ensuite pénétrer dans un salon immense où je marchai sur des tapis d'Orient. Une lumière diffuse venait des lustres. Un peu partout, des tables au dessus de marbre bleu et des fauteuils recouverts de brocart étaient disposés avec art.

Des hommes déplaçaient sur le marbre des tables les pions de jeux d'échecs d'ivoire et de jade. Il n'y avait pas d'échiquier. Tout paraissait cependant strictement ordonné.

D'autres jouaient aux dames. Mais au lieu de pièces rondes, noires et rouges, ils faisaient bouger entre leurs doigts de petites statuettes de femmes sculptées dans l'ébène. Toutes étaient noires. Ils s'y retrouvaient.

Au mur, il y avait des toiles très grandes. Parmi elles, quelques peintures galantes et des scènes bucoliques ou de chevalerie. Sur l'une d'elles, l'herbe était couverte de dentelles répandues et des femmes, la tête renversée, laissaient voir la blancheur de leur gorge. Sur une autre, des bergères aux bures retroussées étaient violées par le bélier de leur troupeau. Ailleurs, des nobles à cravache chevauchaient des pur-sang et poursuivaient une biche repérée par leurs braques.

Les hommes buvaient dans des coupes d'argent sur lesquelles un héros transperçait de son glaive le sein d'une Amazone.

Il n'y avait pas d'autres femmes que moi. Juste des statues de bronze et des bustes de plâtre que regardaient les hommes en croquant des amandes.

J'entendais en sourdine une musique de clavecin et le murmure des conversations. Les lèvres bougeaient à peine.

Un parfum doux émanait des gerbes d'orchidées posées, dans des vases, sur des cariatides.

Nous étions arrivés au fond du grand salon. Nous nous sommes arrêtés.

Devant nous, sur un socle, un cube de verre et, à l'intérieur, une minuscule chambre au fond de laquelle il n'y avait, pour tout meuble, collé aux parois, qu'un lit-nacelle. La base était d'acajou décoré d'appliques de bronze et la couche était recouverte de satin noir.

Ils me firent pénétrer dans le cube et en refermèrent les parois. Je restai debout quelques instants, les mains collées au verre. Mais lorsque je vis les regards se détacher des tableaux, des statuettes et des vases étrusques pour se poser sur moi, je me souvins du long dressage et m'étendis sur le satin, la tête appuyée avec grâce sur mon bras replié.

J'y demeurai des jours et des nuits entières, tantôt debout, la tête légèrement rejetée vers l'arrière, les reins cambrés comme ceux des félines en rut ; tantôt assise, une main négligemment posée sur le montant du lit et l'autre sur l'émeraude de la robe ; tantôt couchée, la poitrine juste assez soulevée pour que s'entrouvre le corsage, et le genou gauche à demi replié pour que sur le noir du satin se découpe l'ivoire de l'autre jambe.

Les hommes s'approchaient et me regardaient de la même façon qu'ils regardaient les scènes bucoliques ou les reines de jade.

Ma chair nourrissait leurs fantasmes. J'en tirai vanité.

Je compris le sens du long dressage qu'on m'avait, depuis la naissance, imposé : il conduisait ici, à ce salon et à ces hommes dont le regard me pénétrait enfin.

Bien que ma vie fût inerte, je l'aimais et n'espérais rien que rester là, indéfiniment, comme les statues de bronze.

Mais un jour, l'un des hommes se pencha vers un autre et lui dit, à voix basse, sans me quitter des yeux : « Voyez la patte-d'oie qui naît au coin de l'œil. »

L'autre se tourna vers l'homme qui était derrière lui et dit : « La cheville est moins fine. »

Le murmure se perdit jusqu'au fond de la salle, tel un ruban qui brûle.

Ils s'éloignèrent, se versèrent à boire, se penchèrent au-dessus des damiers ou se perdirent dans la contemplation de toiles anciennes où de jeunes vierges étaient offertes en sacrifice aux dieux.

Je regardai mon corps. On ne m'avait pas dit qu'il allait se flétrir.

Je ne pus supporter l'idée que le regard des hommes ne se poserait plus sur moi.

Je me levai et voulus leur parler. On ne m'avait pas appris les mots. Je ne parvins qu'à gémir.

À ces gémissements, les hommes s'approchèrent de nouveau.

Mais, comme si la paroi de verre s'était soudain transformée en loupe, ils virent que les pores de ma peau s'étaient dilatés et que le fauve de ma chevelure s'était un peu terni. Ma voix finit par agacer leurs tympans.

Ils se détournèrent.

Un homme claqua des doigts : aussitôt un rideau noir descendit du plafond et recouvrit le cube. Je sentis des vibrations et sus que l'on me déplaçait. Je hurlai.

Quand les vibrations cessèrent, la musique, le murmure des hommes et le cliquetis des carafes heurtant légèrement le bord des coupes vides avaient disparu. Ils furent remplacés par des plaintes et des rires mats.

Le rideau noir s'éleva.

J'étais dans un très vaste lieu. Le dépôt d'un musée. Ou la salle aux canopes d'une pyramide.

Je n'étais pas seule. Il n'y avait plus d'hommes, mais des femmes enfermées elles aussi dans des cubes de verre. Des femmes vivantes. Des femmes mortes, en train de se décomposer. Ou bien osseuses et nettes. Certaines décapitées ou amputées.

Je m'accroupis près du lit et rabattis mes bras sur ma tête.

Je restai ainsi longtemps, cherchant à articuler un mot précis que j'avais entendu prononcer par les hommes. J'émis des sons rauques et informes. Je recommençai inlassablement.

Cela vint : *Non*.

Recroquevillée, je le répétai plusieurs fois.

Les plaintes et les rires avaient augmenté et me vrillaient le tympan. Je me levai et, pour les couvrir, criai le mot à tue-tête.

Mon cri coupa les rires. Les gémissements s'assourdirent.

Au loin, une femme parla : « Tu connais le langage des hommes ? »

Les mots entrèrent en moi comme lorsque les hommes parlaient. Je les compris, mais on ne m'avait jamais appris à répondre. Je restai là, figée, la bouche stérile.

Elle répéta à maintes reprises sa question. Sa voix vibrait de plus en plus. Elle cria : « Je suis seule ici à savoir parler. Si tu le sais aussi, réponds. »

Je la cherchai des yeux à travers les parois transparentes des cubes entassés.

Je la vis soudain. Elle était debout, les mains posées sur le verre de sa cage où il y avait, déjà, un fin réseau de fêlures.

Je prononçai pour elle le seul mot que je pouvais articuler.

Elle dit : « Je te l'apprendrai. »

*

Lentement, j'appris à parler en reformant avec ma bouche les phrases que la femme me disait et celles que des hommes avaient dites en ma présence.

Je ne pouvais encore que répéter maladroitement sans être capable de formuler ma propre pensée.

Dans les cages autour de moi, des femmes bougeaient à peine, figées dans les poses apprises devenues, ici, grotesques et inutiles.

D'autres femmes gémissaient en bavant et se cognaient la tête contre les murs de verre.

J'appris que les femmes dont les cages étaient vides avaient été enfermées sous une mince couche de bronze pour que leur corps parfait ne pérît jamais et restât dans le grand salon, sous le regard des hommes.

Dans l'une des cages près de la mienne, il ne restait sur le satin taché du lit qu'un long squelette blanc paré de bagues, de bracelets, de colliers et de soie.

Celle qui me parlait ne portait plus aucune parure ni aucun ornement. Avec l'étoffe qui recouvrait son lit, elle s'était fait un vêtement très ample qui ne laissait voir que sa tête et parfois ses mains et la pointe de ses pieds. Lorsqu'elle étendait les bras et collait ses paumes à la vitre, elle ressemblait aux grands oiseaux qui volaient très haut, jadis, au-dessus des serres où l'on nous dressait.

Je l'imitai.

Seule résista la chaînette d'or à ma cheville. Je m'acharnai à la briser. Elle usa ma peau et me coupa la chair. Le sang coulait en minces filets de mes doigts et de ma cheville. L'autre me cria d'arrêter. Que c'était inutile.

Je ne m'allongeais plus sur le lit-nacelle. J'habitais l'espace étroit entre lui et la paroi avant dont le verre avait commencé, au fur et à mesure que j'apprenais à parler par moi-même, à se couvrir de fines lézardes. À plusieurs reprises, je les frappai avec mes poings, mes pieds, ma tête, ou en m'y jetant de tout mon corps. L'autre, de loin, cherchait à m'apaiser. Mais je ne cessais qu'à bout de forces et blessée.

Le verre de sa cage était à présent craquelé à un point tel que j'avais peine à la voir.

Nous parlions de plus en plus souvent et longuement.

Un jour, il y eut plusieurs grands bruits secs dans la salle aux canopes. Pour la première fois, le silence se fit. Totalement. Un bref instant.

Les murs de sa cage tombèrent en cliquetant.

*

Elle vint s'installer près de moi et y resta le temps que je pris à ouvrir la mienne.

*

Nous avons cherché longtemps notre chemin entre les cubes transparents où des femmes affolées se frappaient aux vitres en hurlant.

Nous sommes sorties.

Dehors, nous avons d'abord marché dans un univers circonscrit et froid.

Puis devant nous, ce fut la plaine.

Le cercle des hommes nous apparut alors, à distance : sur une immense plaque, il y avait les serres, les dépôts et la monumentale architecture abritant les salons. Cela formait un îlot métallique.

Nous nous sommes mises à marcher. Quelque part, au loin, il y avait peut-être des femmes, des enfants, des hommes échappés eux aussi de cercles aliénants.

Sur nos chevilles, la chaînette d'or battait encore à chacun de nos pas. Un jour, nous arriverions à la briser.

La poupée gigogne

Elle boit un café tiède — elle y a mis quatre petits contenants de crème et trois sachets de sucre — avec une paille pour ne pas déplacer le rouge *Cerises mûres* qu'elle a appliqué sur ses lèvres quelques instants auparavant dans les toilettes publiques du centre commercial.

C'est cela le plus difficile : se rappeler que ses lèvres sont recouvertes d'une épaisse couche de rouge, que les fards bleuissent ses yeux et que ses cils sont noirs de rimmel ; et ne pas y toucher.

La plupart du temps, au bout d'une demi-heure, le rouge déborde grossièrement du pourtour de ses lèvres et ses yeux ont l'air contusionnés. Elle s'aperçoit du gâchis dans l'un des miroirs d'un magasin où elle traîne. Mais l'insolite de son maquillage ne la frappe jamais. Elle ne voit pas le contraste avec ses espadrilles, ses jeans étroits et son blouson délavé.

En hâte, elle se rend alors aux toilettes les plus proches et, à l'aide du savon à mains d'une distributrice, elle enlève le tout.

Elle rentre à la maison le visage rougi, luisant.

Ce n'est pas chez elle. On l'a placée ici parce que chez elle il y avait trop de coups, d'alcool et de pilules.

La maison est décorée sans goût, mais elle est propre et on n'y crie pas. On y parle même à peine. En arrière-fond, on entend toujours le bruit de la télévision. On ne remarque pas vraiment que personne ne se parle.

Son dossier indique qu'elle est une bonne enfant, quoique très renfermée. Elle a treize ans et demi. Elle n'est pas encore menstruée. Elle aide aux travaux ménagers. Elle ne réussit plus très bien à l'école, mais cela n'a pas grande importance.

L'important, c'est de ne pas « répondre ». Et elle ne « répond » pas.

Dans cette maison, on renvoie les enfants qui répliquent ou n'obéissent pas. Il en vient et en repart souvent. Pour cela et pour une foule de raisons.

Elle y est depuis un peu plus de deux ans.

Elle s'appelle Nathalie. C'est un prénom courant. Depuis deux ans, il est venu et reparti trois Nathalie.

On croit qu'elle n'est personne. Et elle le croit aussi.

Sauf quand elle se maquille les lèvres et les yeux. Alors, des hommes la regardent. Mais ceux qui flânent dans les centres commerciaux, les après-midi de semaine, sont, pour la plupart, laids, sales ou trop vieux. Des femmes aussi la regardent. Des vendeuses surtout. Toujours avec un air de reproche.

Elle n'a pas d'amies. À l'école, elle n'a dit à personne où elle habite.

Elle a honte. Elle ignore pourquoi.

En classe, quand il faut qu'elle parle, sa bouche s'assèche soudain. Elle bafouille et elle tousse. Les élèves rient.

Depuis qu'elle a quatre ans, elle fait la navette entre chez elle et des foyers d'accueil. Elle en a connu cinq.

Même aujourd'hui, chaque fois qu'elle rentre, elle a peur qu'on lui dise de plier bagage et de repartir.

En même temps, elle a peur de rester ici pour toujours.

Pourtant, elle aime sa chambre. Partout où elle est allée avant, elle a dû partager une chambre avec des enfants placés. Ici, elle a son coin. Une pièce minuscule, sans fenêtre, aménagée au sous-sol. Personne ne lui volera rien ni ne lira son journal. D'ailleurs, maintenant, elle le transporte toujours avec elle. Et il a un fermoir. Elle n'y écrit presque plus.

La femme s'appelle Gertrude. Elle n'a pas d'enfants à elle. Certains des enfants qu'elle garde l'appellent « maman ». Elle le leur demande, mais elle les laisse libres.

Nathalie l'appelle « maman ». Mais quand elle dit « maman » à cette femme, le mot sonne creux comme ceux des poupées qui parlent.

L'homme s'appelle Yvan. Les rares fois où elle lui adresse la parole, Nathalie dit « mon oncle ». Ça sonne aussi vide.

Un jour, dans un grand magasin, elle a vu un étalage de poupées russes en bois, peintes de couleurs vives. Elle n'avait jamais vu de poupées ainsi emboîtées les unes dans les autres.

Depuis ce temps, souvent, la nuit, elle fait le même cauchemar. Elle est étendue sur une table pareille à celle sur laquelle on l'a mise pour lui enlever les amygdales. Elle est nue. On l'opère. On la coupe et on l'ouvre avec une scie à plâtre. Elle n'en ressent aucune douleur. À l'intérieur se trouve une seconde Nathalie que l'on coupe et qu'on ouvre. Ainsi de suite, sans fin. Quand elle s'éveille, elle tombe dans un gouffre.

Nathalie se maquille dans les toilettes des centres commerciaux pour devenir la plus grande des poupées, celle qui renferme toutes les autres. Elle ne sait pas combien elles sont. Elles sont si nombreuses que Nathalie ne réussira jamais à trouver la dernière, la vraie, celle qui est au cœur.

Lorsqu'on lui parle, elle entend de l'écho en elle. Elle sait qu'elle n'est pas vide, mais elle est trop loin.

Quand la travailleuse sociale qui s'occupe d'elle lui apprend quelque chose d'important, ses mots tombent dans Nathalie. Elle est un puits. Les mots résonnent et se perdent.

Nathalie oublie. Ou bien déforme.

La travailleuse sociale a dû répéter et répéter à Nathalie qu'elle ne pourrait plus retourner chez elle avant très longtemps, même pour de courtes périodes, parce que sa mère était en dépression.

Des dépressions, sa mère en a toujours fait.

Alors, d'une fois à l'autre, Nathalie persiste à lui demander quand elle pourra aller chez elle, rendre visite à sa mère.

Pour mettre un terme à ses attentes, la travailleuse sociale a expliqué à Nathalie que sa mère était hospitalisée en psychiatrie.

Les mots sont aussitôt tombés dans un trou. Nathalie n'a eu aucune réaction.

Et plus tard, lorsqu'elle a cherché ce que la travailleuse sociale lui avait dit d'important lors de sa dernière visite, elle a trouvé en elle : ma mère est hospitalisée en obstétrique.

Nathalie demeure convaincue que sa mère est à nouveau enceinte et que c'est pour cela, très précisément, qu'elle ne peut plus la voir.

C'était l'an passé. Jamais plus depuis Nathalie n'a posé de questions sur cette grossesse ni redemandé si elle pouvait voir sa mère.

Elle est la deuxième enfant. Elle a un frère plus vieux, deux frères cadets et une petite sœur. Elle connaît si peu ceux qui la suivent qu'elle aurait du mal à les reconnaître. Elle les a pourtant vus à quelques reprises, quand leurs brefs retours à la maison coïncidaient. Cela aussi est tombé dans un trou.

Elle n'oublie pas leurs noms cependant. Dans l'ordre : Stéphane, Nathalie, Pierre, Éric, Sylvie. Elle a fait une ritournelle qu'elle se répète souvent, sans même y penser : Stéphanathalipierericsylvie.

Quand elle rentre, c'est toujours l'heure des pommes de terre. Il y en a à chaque repas, même le matin, pour Yvan. Nathalie les pèle. Les carottes aussi. Mais elle en mange très peu.

Elle mange à peine.

Les premiers temps, elle mangeait beaucoup plus. Cela se voyait. Gertrude la taquinait, disait qu'elle était presque aussi « boulotte » qu'elle.

Nathalie s'est mise à maigrir.

Au début, Gertrude l'encourageait, calculait les calories.

Nathalie a continué à maigrir, même après avoir retrouvé son poids normal.

Gertrude ne s'est pas inquiétée outre mesure. Elle a même cru que Nathalie se privait pour l'aider. Elle l'appréciait. Mais, à la longue, elle a trouvé que Nathalie exagérait. Si, au repas, Nathalie n'avait presque rien mangé, Gertrude lui portait une petite collation dans sa chambre.

Nathalie est une adolescente tranquille qui ne dérange personne. Elle ne prend pas plus de place ici qu'à l'école. Elle se fond facilement aux meubles, aux murs.

À l'école, les professeurs n'ont rien à dire de son comportement, ni en bien ni en mal. Ils ne la voient pas. Même ses absences, de plus en plus fréquentes en fin d'après-midi, passent inaperçues.

Quant aux élèves, ils ne tiennent compte de sa présence que pour se moquer d'elle parce qu'elle a l'air d'avoir dix ans et qu'elle n'a pas encore de seins.

Cela lui est égal.

Dans sa chambre, les choses sont toujours parfaitement rangées. Au mur, Nathalie a épinglé une grande photo. Elle ne sait pas qui l'a prise. Et encore moins pourquoi on l'a agrandie, puisqu'elle est quasiment ratée. Le photographe a bougé : l'image est floue. Et sa mère ne regarde pas l'objectif. Seule Nathalie le regarde. Le photographe a sans doute attiré son attention. Les yeux de Nathalie sont grand ouverts. On dirait qu'elle a peur. La scène se passe dans une cuisine que Nathalie reconnaît. La pièce est en désordre. De la vaisselle sale, des bouteilles et des cendriers pleins jonchent la table. Sa mère est assise, un coude appuyé sur la table, le front dans la main. Sur ses genoux, elle tient Nathalie qui a six mois. La mère, penchée un peu au-dessus de la table, tourne la tête vers la gauche. Elle n'est pas coiffée. Elle porte une robe de nuit défraîchie, en nylon brossé. Par terre, sous la table, un enfant un peu plus vieux touche de la main le pied de sa mère. La photo a l'air d'avoir été prise le matin. Pourtant, Nathalie a la certitude qu'il est quatre heures de l'après-midi.

Nathalie ne possède de sa famille que cette photo-là. Elle l'a volée. Sa famille n'y est pas au complet.

Le soir, avant de se mettre au lit, elle regarde attentivement la photo pour vérifier si des détails se sont ajoutés pendant le jour. Ou si la scène a bougé. Elle aimerait voir la suite. Comme dans les téléromans.

On a placé Nathalie, la première fois, à la naissance de Pierre. Elle n'est revenue à la maison que plusieurs mois plus tard.

Elle croit qu'il existe une autre photo, presque identique à la sienne, où sa mère tient Pierre sur ses genoux et où c'est elle, Nathalie, qui se trouve sous la table et cherche à la toucher.

Il existe peut-être même cinq photos pareilles, sur lesquelles seuls changent le bébé sur les genoux et l'enfant sous la table. Nathalie ne les a jamais vues.

Elle aurait voulu acheter les poupées russes. Elles coûtaient trop cher. Souvent encore, elle y pense.

Pendant plus d'un mois, le soir, dans sa chambre, au lieu de travailler à ses devoirs, elle s'est appliquée à dessiner sur du carton mince six poupées semblables à celles du magasin.

Elle les a dessinées minutieusement, avec des couleurs vives et beaucoup de détails.

La plus grande de ses poupées a quinze centimètres de haut et les cinq suivantes sont de plus en plus petites. Elle a mis beaucoup plus de couleurs sur le visage de la grande, celle qu'elle préfère. La plus petite lui a donné le plus de mal. Il lui a fallu reproduire, à l'échelle, sans en omettre un, tous les détails des autres. Par endroits, ce n'est pas parfait. Ainsi, sur le visage minuscule de la plus petite, les couleurs se confondent et les traits se distinguent mal.

Ses poupées sont évidemment planes. Elle les a découpées, mais elles ne s'emboîtent pas. Nathalie n'y avait pas songé. Elle ne peut que les superposer. Mais cela comporte un avantage : elle peut les superposer dans un sens ou dans l'autre, soit en mettant d'abord la plus petite sur la table, puis les autres par-dessus, par ordre de grandeur ; ou bien en mettant la grande d'abord et les autres ensuite. Ainsi, Nathalie voit la petite qui, autrement, reste cachée.

Nathalie préfère placer d'abord la grande et par-dessus, bien au centre, en omettant les autres, la petite.

Comme sur la photo.

Au dos de la photo, Nathalie a écrit un numéro de téléphone pour ne pas l'oublier. Celui de sa maison. C'est-à-dire de la maison de sa mère. Et de son père.

Nathalie n'a jamais reçu d'appels depuis qu'elle est ici. Elle n'a jamais téléphoné non plus. Du moins le croit-on.

En réalité, depuis que la travailleuse sociale lui a appris que sa mère était hospitalisée, elle a souvent composé le numéro de la photo. Ici, en cachette, mais plus fréquemment au centre commercial.

La première fois, c'était l'été. Il faisait chaud. Gertrude, Yvan et les autres enfants étaient dehors.

Nathalie est rentrée quelques instants sous prétexte d'aller aux toilettes. Elle s'est aussitôt dirigée vers le téléphone: Elle y pensait depuis longtemps. Elle a composé le numéro de la photo. Elle ne voulait pas parler. Elle voulait juste entendre.

Après un déclic, une voix enregistrée a dit: « Il n'y a plus de service au numéro que vous avez composé. »

Nathalie a raccroché. Son corps tremblait. Elle a couru à sa chambre vérifier le numéro. Elle est remontée et l'a recomposé lentement.

Même réponse. Elle a écouté l'enregistrement trois fois, en français et en anglais.

Gertrude a dit: « Qu'est-ce que tu fabriques ? »

Nathalie a sursauté et a poussé un petit cri. Elle a raccroché et s'est retournée vers Gertrude en bredouillant que le téléphone avait sonné, mais que personne ne parlait à l'autre bout de la ligne.

Gertrude a dit: « Ne reste pas dans la maison. La journée est trop belle pour rester enfermée. Viens avec nous. On va manger dehors. »

Nathalie est sortie derrière Gertrude.

Plus tard, elle l'a aidée à mettre la table et à préparer le repas.

Ce soir-là, Nathalie n'avait pas faim du tout et elle n'a rien mangé. Elle a jeté, petit morceau par petit morceau, son hamburger dans l'herbe, sous la table.

Quand elle s'est couchée, son corps tremblait encore. Le tremblement partait du centre de sa poitrine.

Elle avait déjà éprouvé la même sensation, vers l'âge de six ans. Un berger allemand, qui jappait férocement à moins de un mètre d'elle, l'avait immobilisée un bon moment dans un coin de la cour, à la maison. Elle s'était figée.

Alertés par les aboiements, sa mère et des voisins étaient accourus.

Jusqu'au lendemain, aucun mot n'avait réussi à sortir de la bouche de Nathalie. Elle continuait de trembler comme si quelqu'un la secouait.

Sa mère l'avait bercée. Nathalie s'en rappelle clairement.

Mais ses frères criaient et il fallait préparer le repas du soir.

Sa mère l'avait couchée et l'avait soigneusement enveloppée dans les couvertures. Elle avait baissé la toile et elle était sortie en refermant la porte de la chambre. Ce n'était pas la nuit. Il était peut-être quatre ou cinq heures.

Aussitôt que sa mère avait fermé la porte, Nathalie avait perçu la présence du chien sous le lit.

Elle avait d'abord entendu son grondement, puis il était apparu.

Sa gueule était au-dessus de Nathalie, babines retroussées, avec de la bave aux commissures. Ses dents étaient jaunes, gluantes.

Le chien n'aboyait pas. Il grondait sourdement.

De l'autre côté de la porte de la chambre, on criait trop et on faisait trop de bruit pour percevoir les grondements.

Le père était rentré. Nathalie entendait son rire. Il devait « chatouiller » sa mère, brutalement, pendant que celle-ci cuisait les côtelettes. Sa mère riait, agacée, criait à l'homme d'arrêter.

Nathalie savait que bientôt, très bientôt, sa mère pleurerait.

Malgré les grondements du chien, les cris des enfants, le bruit de la télévision et les sanglots de sa mère, Nathalie savait aussi qu'elle percevrait alors très clairement le bruit d'une bouteille qu'on décapsulerait.

Les grondements du chien s'amplifiaient. Nathalie avait la certitude que le chien allait la manger. Il s'approchait de plus en plus. Sa tête grossissait.

Alors, comme parfois en d'autres circonstances, le lit de Nathalie s'ouvrit et elle disparut.

Pendant un certain temps, il n'y eut plus rien : plus de bruits derrière la porte, plus de chien, plus de Nathalie. Rien.

Puis le plafonnier s'était allumé. Sa mère avait couché l'enfant qui partageait sa chambre.

Sa mère était venue embrasser Nathalie. Elle lui avait caressé le front.

Nathalie avait faim.

Sa mère avait déjà éteint la lumière et refermé la porte. Comme quand elle punissait Nathalie.

*

Depuis près d'un an, Nathalie téléphone chez sa mère deux ou trois fois par semaine, de préférence du centre commercial. Elle se maquille d'abord.

Au début, elle écoutait le message enregistré et raccrochait.

Depuis un certain temps, elle parle.

Elle parle à Nathalie.

À l'autre bout de la ligne, l'enregistrement défile.

Elle dit, par exemple, d'une voix très enjouée :

« Bonjour, ma belle Natou ! Comment vas-tu, mon petit ange ? Maman n'a pas pu appeler parce qu'elle était en voyage, tu le savais, hein ! Un beau voyage ! Je te raconterai tout tout, promis ! Et je te rapporte tout plein de surprises. Je passerai te chercher dimanche. On ira dans notre nouvelle maison. Une belle maison, tu verras ! Seulement pour nous deux. Prépare tes affaires, pas juste pour une visite de fin de semaine, là ! On va rester ensemble pour de bon ! »

Nathalie colle si fort le récepteur sur sa bouche que c'est souvent à ce moment-là que son rouge à lèvres s'étale. Elle pleure. Son rimmel coule.

Depuis qu'elle a entendu l'enregistrement pour la première fois, Nathalie fait souvent un rêve.

Leur maison surplombe une immense falaise. Quand on y pénètre, on sent le vide en dessous. Nathalie marche sur la pointe des pieds sur le bois du plancher. À chacun de ses pas, la maison craque. Au fond, très loin, elle voit la cuisine. Sa mère y est ; les enfants aussi. Et le père. Sa mère pèle des oranges. Ça sent bon. Ça sent le gâteau. Ça crie. Ça rit. Ça chante aussi. Ils ont l'air de s'amuser. Nathalie traverse doucement la pièce lorsque soudain le plancher devant elle s'effondre jusqu'à la cuisine. Nathalie s'accroche et rampe pour revenir près de la porte par où elle est entrée. Elle reste tassée contre le mur, sur une petite bande de bois qui a résisté. Le reste, devant elle, s'est ouvert sur un gouffre.

À l'autre bout, la cuisine est intacte.

Nathalie les voit.

Eux ne la voient pas.

Au réveil, elle se souvient exactement du rêve. Pourtant, elle se dit alors chaque fois : « La maison a brûlé. » Elle s'approche du miroir accroché à la cloison et regarde son visage et son corps pour évaluer les dommages, les brûlures.

Elle a maigri. Beaucoup.

L'infirmière de l'école l'a remarqué. Elle a convoqué Nathalie.

Elle l'a questionnée. Nathalie a répondu évasivement ; puis elle a menti, elle a dit qu'elle adorait manger, qu'elle s'empiffrait même de chocolat, de frites et de guimauve, en cachette, en dehors des repas.

L'infirmière n'en a rien cru. Elle lui a dit de se déshabiller.

Nathalie avait honte, pleurait.

L'infirmière l'a pesée. Nathalie s'est rhabillée.

L'infirmière lui a demandé si Gertrude la privait de nourriture. Nathalie a juré que non.

L'infirmière est alors devenue plus douce. Elle a parlé un moment à Nathalie et lui a dit qu'elle aimerait la revoir, une fois par semaine.

L'infirmière a alerté la travailleuse sociale.

La travailleuse sociale a parlé à Gertrude.

Nathalie a vu un médecin. Lui aussi lui a dit de se déshabiller.

On la traque.

Plus on la traque, moins elle mange.

Si on l'y force, elle vomit.

Elle se nourrit uniquement du café qu'elle commande au centre commercial et auquel elle ajoute, au fur et à mesure qu'elle le boit, les contenants de crème et les sachets de sucre.

À la maison, on ne s'occupe plus que d'elle. La travailleuse sociale vient régulièrement. Elle lui parle.

On essaie toutes les stratégies : la douceur, les promesses, les menaces, dont l'hospitalisation et le gavage en règle. On lui dit que, si on la rentre à l'hôpital, elle n'en ressortira pas avant d'avoir retrouvé son poids normal et consenti à manger convenablement. Pas avant.

Nathalie ne comprend pas la raison de cette violence. Elle n'a rien fait.

Gertrude lui a dit qu'elle serait obligée de la renvoyer si elle persistait dans son refus de manger.

Nathalie a demandé où.

Gertrude a répondu : « Dans un centre d'accueil. »

Nathalie est allée pleurer dans sa chambre.

Elle ne mangera pas.

Elle ne mangera plus.

*

Nathalie ne veut plus sortir de sa chambre.

Pour la première fois dans cette maison, elle se maquille comme au centre commercial.

Elle découpe la grande poupée en petits morceaux. Elle reconstitue la poupée patiemment, comme s'il s'agissait d'un casse-tête ou d'une porcelaine brisée. Elle la défait et la reconstitue. Sans fin.

Elle colle la plus petite des poupées sur la photo, sur les genoux de sa mère. À sa place.

Gertrude a appelé la travailleuse sociale parce qu'elle n'arrive plus à communiquer avec Nathalie.

La travailleuse sociale est assise par terre, depuis ce matin, dans sa chambre.

Elle ne dit rien, elle l'observe.

Nathalie ne lui a pas accordé un seul regard. Elle se concentre tantôt sur la grande poupée en morceaux, tantôt sur la photo.

Nathalie réussit à reconstituer la grande poupée de plus en plus rapidement.

Elle reprend les ciseaux et redécoupe chacun des morceaux en quatre.

Elle se remet à la tâche.

L'opération est trop difficile maintenant. Les morceaux sont trop minuscules. Nathalie n'arrive plus à reconstituer la grande poupée.

Du revers de la main, elle envoie voler les morceaux qui s'éparpillent dans la chambre.

Elle se lève rapidement et se recroqueville sous la photo.

Son pouce est dans sa bouche. Son rouge s'est étalé.

Nathalie se berce de façon saccadée.

La femme dit : « C'est ta mère que tu veux ? »

Nathalie arrête de se bercer, sec.

D'un coup de tête, elle fait signe que oui. Sans regarder.

Les voyageurs blancs

Je suis dans un train de verre entièrement transparent. Il ne compte qu'un seul wagon automoteur.

Nous sommes quatre : une femme, deux hommes et moi. Je ne les connais pas. Pourtant, un lien nous unit.

Leur visage est lisse et d'une étonnante blancheur, presque translucide. Comme de la fine porcelaine qu'une lumière éclairerait de l'intérieur.

Parfois, nos regards se rencontrent, se traversent. Personne ne parle. Les mots sont superflus.

J'ignore où le train nous mène. Je sais qui j'étais, d'où je viens, mais je ne sais pas ce que je suis devenue.

Je ne ressens plus ni le mal ni la peur qui autrefois me donnaient l'impression d'exister. Pourtant, j'existe. Je suis calme. Mes mains reposent à plat, sans bouger, sur mes cuisses. Les mains des autres ne bougent pas non plus. Elles ne sont pas raides ; pas plus que nos corps parfaitement immobiles. Il s'agit d'autre chose.

Nous sommes vêtus de blanc.

La seconde femme et moi portons toutes les deux une longue robe de soie ample dont l'encolure, les poignets et l'ourlet s'ornent d'une broderie complexe et raffinée : hiéroglyphes anciens, caractères d'une écriture étrangère, ou peut-être code plus secret. Par endroits, j'y reconnais la minuscule graphie, mais inversée, des lettres d'amour que j'ai longtemps écrites.

Les deux hommes sont vêtus d'un pantalon et d'une veste de lin. Sur le liséré de la veste se retrouvent les mêmes signes que ceux brodés sur nos robes.

Nos pieds sont nus.

Le train traverse d'immenses champs de neige. Au début, tout était ras. Maintenant, il y a quelques rares arbres, sans feuilles, noirs. Quelque chose bat doucement dans la plaine. La lumière peut-être, ou les arbres. À moins que ce ne soit des pulsations dans mon œil.

Avant d'entrer dans cette plaine, nous avancions dans un tunnel ovoïde. Blanc aussi. Interminable. Les bruits du train s'enroulaient sur eux-mêmes. J'étais engourdie.

Avant ce tunnel, c'était le noir. Le même roulis, les mêmes vibrations. Mais dans une encre opaque. Je ne voyais rien, pas même mon corps.

Le voyage a duré longtemps. Ou plutôt : il a duré.

Et avant le noir, c'était le rouge. Une gigantesque éclaboussure de rouge.

*

Avant le blanc, le noir, le rouge, j'étais assise comme maintenant dans un train. Mais un train ordinaire. Le velours des sièges, élimé par endroits, était imprégné d'odeurs de tabac et couvert de poussière. J'avais remonté le rideau de ma fenêtre.

Rien ne me distinguait des voyageurs, sinon peut-être cette rigidité extrême dans laquelle j'avais enfermé ce qui en moi se déchirait. Corps de marbre. Cœur déconnecté.

Je respirais et bougeais à peine. Gestes réduits, fonctionnels. Le corps ne devait répondre qu'aux commandes du cerveau, ne rien signifier d'autre. Empêcher les lèvres de trembler, serrer les mâchoires, ne pas laisser les yeux s'embuer, ravaler discrètement le trop de salive. Ne rien laisser au hasard. Au moindre relâchement, je pouvais exploser.

Je regardais défiler le paysage. Je fixais mon attention sur des détails. Je fumais. Je feuilletais distraitement un livre. Sans lire. Les livres sont minés. Je me répétais mécaniquement des formules stéréotypées : « Ça va bien » ; « Ce n'est qu'un mauvais moment à passer » ; « Ce n'est rien » ; « Je suis assez forte. »

Ne penser à l'homme qu'à travers le filtre de ma rationalité.

Le cœur m'élançait. J'avais mal. Il ne fallait rien reconnaître de cette douleur. Dire : « C'est à cause du café, du tabac, de la chaleur dans ce train. » N'importe quoi. Pas la vérité.

Un homme en plein cœur.

Non.

La fatigue, la mauvaise digestion, les relents d'huile et de graisse, le travail.

Ne rien dire de cet homme que j'aimais et de qui, pourtant, je tentais une fois encore de m'arracher.

Me barder, que rien ne m'atteigne. Jamais plus.

*

Alors que je m'efforçais de me maintenir dans cette insensibilité, une femme est entrée dans le wagon.

Les gens l'ont regardée. Une légère rumeur s'est élevée et s'est presque aussitôt éteinte.

La femme portait un tailleur amande, trop pâle pour la saison. Elle cherchait quelqu'un. Elle s'est avancée dans l'allée, lentement, et elle s'est arrêtée à ma hauteur. Elle m'a regardée, m'a souri.

J'avais l'impression de l'avoir déjà vue, de la connaître. Je pensais reconnaître entre autres son parfum peu commun. J'ai répondu à son sourire. Je l'ai aussitôt regretté, car elle s'est alors assise en face de moi. Ce qui m'a contrariée. Elle a déposé une petite mallette blanche à côté d'elle.

Elle a dit : « J'ai eu peur de ne pas te retrouver à temps. »

J'ai cru avoir mal entendu. Je lui ai demandé de répéter. Elle s'est contentée de sourire. Je l'ai fixée un moment. J'ai tourné la tête vers la fenêtre.

Elle a dit : « Je suis venue te chercher. »

Je l'ai regardée, surprise, et j'ai dit : « Il y a certainement méprise. » Elle n'a rien répondu.

Le paysage défilait plus rapidement.

La femme a dit : « Ça ne sert à rien. »

Je me suis levée et je lui ai crié : « Mais enfin, que me voulez-vous ? »

Les passagers m'observaient. Je me suis rassise, excédée.

Le train avait encore accéléré.

J'ai entendu un déclic métallique et j'ai sursauté. La femme venait d'ouvrir sa mallette. Elle ne contenait que du sable.

La femme a dit : « N'aie pas peur. »

Les vibrations du train ont augmenté. Derrière la vitre, je ne voyais plus que des traînées lumineuses dans le noir.

Je me suis levée. J'ai chancelé. Je me suis agrippée au porte-bagages, cherchant en vain des yeux la sonnette d'alarme.

Les voyageurs avaient disparu. Dehors, tout était devenu noir.

La femme me regardait calmement. Elle ne me narguait pas. Elle avait l'air de savoir, c'est tout. Pourtant j'ai eu envie de la frapper. Mais sitôt que j'ai enlevé ma main du porte-bagages où je m'agrippais, une force m'a ramenée à la banquette et m'y a clouée.

La femme a dit : « Qu'as-tu tant à craindre ? »

Les lumières ont vacillé. J'ai ouvert la bouche pour crier. Les lumières se sont éteintes.

J'ai sursauté violemment quand la femme a posé ses mains sur mon front et ma nuque.

Le train a volé en morceaux dans des bruits de métal.

Mes os ont craqué. Mon corps s'est ouvert, par le devant, de ma gorge à mon sexe. Je suis tombée, sans fin, à la renverse. Dans le rouge. Puis le noir.

Je sais, à cause du parfum, que la femme est restée là tout ce temps, les mains posées sur mon crâne broyé.

*

Lorsque j'ai refait surface, j'étais dans le train transparent qui filait dans le tunnel ovoïde. Je ne sentais rien. Je ne pensais à rien. J'étais là, simplement.

Je ne m'inquiétais pas d'être dans ce train, avec ces gens, et de ne pas savoir ce qui m'était arrivé ni ce vers quoi j'allais. Je n'étais plus crispée. J'ai même cru un instant que ma douleur face à l'homme avait disparu.

Mais elle était toujours là, intacte. Une peine immense contre laquelle je n'avais cependant plus à lutter.

*

Le train avance toujours.

Dehors, la neige fond. Les arbres, plus nombreux, forment des bosquets. Ils ne sont plus noirs. Des taches vertes apparaissent. La sève circule. Je l'entends. Ou bien c'est le sang dans mes veines. Mes mains bougent. Je tourne la tête d'un côté et de l'autre. Ma nuque est souple. Je ne sens plus l'étau qui, depuis quelques années, m'emprisonnait le cou. Ma poitrine se soulève et s'abaisse régulièrement, sans à-coups.

Dehors, des hommes et des femmes vont maintenant, dispersés à travers la campagne.

Le train approche d'un village où les maisons, avec leurs terrasses et leurs petits jardins, s'étagent de manière asymétrique.

L'un des passagers s'est levé.

Le train ralentit, s'arrête.

Une femme est debout sur le quai. À sa tempe droite, tout près des cheveux, une blessure se cicatrise. L'homme descend et s'approche. Ils sont face à face. Ils ne se touchent pas. Ils se toucheront plus tard. Quand viendra le temps.

Le train se remet en marche.

*

Le train traverse une autre campagne. Le paysage change progressivement. La mer apparaît. La terre s'y avance en pointe.

Le train roule sur un interminable pont. Des oiseaux de mer lui font cortège. L'autre femme chante à mi-voix. Je ne distingue pas clairement les mots. Je me penche vers elle. Elle me sourit sans s'interrompre. Son chant parle d'un homme qui ne reviendra plus. Qui est mort.

Au loin, une île apparaît. Je sais que la femme y descendra. Les oiseaux sont venus pour elle.

L'île est petite. Les habitations sont peu nombreuses. Entre les maisons, il y a des palmiers nains, des arbres fruitiers, des buissons chargés de fleurs.

Le train s'arrête.

Sur le quai, un enfant de six ans attend la voyageuse. Il tient une tourterelle. La femme descend du train, s'approche de l'enfant qui lui tend les bras pour lui offrir l'oiseau. Leurs mains se touchent. L'oiseau s'envole et se pose dans un hibiscus, non loin.

L'enfant éclate de rire.

La femme se penche vers lui.

*

Le train s'éloigne de l'île. Une autre côte, montagneuse, apparaît au loin. Ce n'est pas chez moi. J'en suis certaine.

C'est le pays de l'homme. Il est debout près de la fenêtre. Il tremble. Je le rejoins. Il a peur d'arriver trop tard.

Le train quitte le pont et la mer. Les rails cheminent dans des gorges, des passages étroits sculptés dans le roc, et passent parfois au-dessus de ravins où coulent des rivières. L'air est frais, rempli d'odeurs de conifères. L'homme s'apaise.

Après un long parcours sinueux, le train entre dans une vallée. Les maisons sont dispersées çà et là sur les versants, sauf au creux de la vallée où elles forment une petite agglomération.

Le train s'y arrête.

Une vieille dame, assise sur le quai, attend l'homme depuis des années.

L'homme descend du train.

La femme se lève. Ses yeux sont clos. Elle tend les mains devant elle jusqu'à ce qu'elles rencontrent le voyageur. Ses mains s'animent. Elle lui touche la tête, redessine chaque trait de son visage.

Le train se remet en marche.

*

Je m'assois, laisse aller ma tête vers l'arrière.

Bientôt, j'entrerai dans mon véritable univers. Il ne ressemblera pas à la ville que j'habitais. Pourtant, je m'y reconnaîtrai.

J'aimerais que l'homme que j'ai quitté m'attende sur le quai. C'est impossible. Je le sais.

Je redresse la tête.

Devant moi s'offre le désert, pâle et ondulant, nu. Je reconnais les dunes comme s'il s'agissait de mon corps. Je reconnais le silence.

C'est chez moi. Et c'est bien.

Mais jamais l'homme ne pourra me retrouver dans ce désert, jamais il ne consentira à tant de dépouillement. Et jamais plus je ne pourrai quitter ce lieu pour le rejoindre, lui, dans son monde.

Je pleure sans bruit.

Au loin, le quai apparaît, sans rien autour, à part le sable.

Une femme m'attend, seule, sur le quai. Je la reconnais. Elle n'a plus sa mallette.

*

Dans ce désert, pas d'abri ni de repère.

Nous marchons lentement. Elle me tient le bras. Parfois, nous parlons.

Un jour, elle m'a dit avoir vu, peu avant mon arrivée, passer l'homme dans un train transparent.

Elle pense qu'il allait vers les troglodytes, à l'extrémité du désert. Ou plus loin.

Rien n'indique que nous allions dans cette direction.

La gironde

Chaque matin, elle lui raconte des histoires de sexe truculentes et poivrées.

Elle le relève un peu, replace les oreillers dans son dos, défait les cordons de sa chemise de nuit bleu azur, et commence la délicate toilette de ce corps décharné qu'elle nourrit d'histoires de seins énormes et de fesses rondes et charnues. Mais les fesses et les seins ne sont jamais assez gros. C'est pourquoi, un jour, elle finit par lui inventer une compagne géante, telle qu'il la veut, telle qu'il puisse entrer tout entier dans son sexe et y être parfaitement confortable. Il est si maigre et si chétif que, malgré tout, la géante n'est pas si géante que cela.

Il ne passe pas tout son temps dans le sexe de la géante. Il n'y entre que pour dormir ou lorsqu'il a mal, très mal, ou peur. Et elle n'est pas toujours là. Souvent, elle arrive avec l'autre, le matin, et repart avec elle.

Sa chambre ressemble à une vraie chambre. Les autres chambres de l'institution aussi. On l'a voulu ainsi, comme dans une vraie maison, avec du papier peint, des rideaux aux fenêtres, des plantes, des tableaux et un ameublement moderne. Sa chambre ici est mieux décorée que la sienne à la maison. Il apprécie les beaux décors mais, seul, il est incapable d'en créer.

Seul, il l'est depuis bientôt six ans et c'est peut-être cette solitude qui l'a conduit ici.

La chambre prend des airs de fête quand la géante y est. La géante rit souvent et son rire est contagieux. Elle aime qu'il soit content. Elle circule toujours nue. La chair molle de ses cuisses, de ses bras et de ses gigantesques seins ballotte à chacun de ses pas. L'épaisse couche de graisse de son abdomen forme des plis qui se font et se défont sans cesse comme des vagues. Il aime la regarder. Elle aime qu'il la regarde. Mais si ses yeux rencontrent ceux de l'homme, elle rougit d'un coup, éclate de rire et se détourne aussitôt. Alors il voit ses fesses, énormes oreillers moelleux où plonger sa tête, son visage. Cette femme l'excite, le rassure.

Pourtant, il a toujours préféré les femmes sveltes, dont une, particulièrement, auprès de laquelle il est resté dix ans. Lorsqu'elle s'étendait sur le dos, il aimait toucher les os de ses hanches qui saillaient et formaient une barque au centre de laquelle il y avait son petit ventre souple où il enfonçait doucement les doigts et, plus bas, son sexe.

À cette époque, les seins volumineux le dégoûtaient. Il n'en avait jamais touché. Mais il en avait vu. Il avait même cherché à en voir, pour confirmer son dégoût. Il s'exclamait alors : « C'est affreux ! » Et il retournait sucer doucement les petits mamelons de sa compagne.

Mais un jour, elle était partie.

Pendant plusieurs mois, ils pleurèrent tous les deux.

Puis, ils ne pleurèrent plus.

Il n'a plus que les os : un squelette recouvert d'une très mince couche de peau. Quand elle le lave, elle ne frémit plus. Surtout depuis la venue de la géante. Mais au début, il lui faisait horreur : ses yeux enfoncés dans leurs orbites qui la regardent de tellement loin ; sa bouche édentée qui aspire bruyamment la bouillie et l'envoie dans le gosier qui déglutit avec effort ; son crâne chauve et tavelé, bosselé comme une vieille casserole ; ses tempes proéminentes dont la peau si fine se déchire à rien et ne se répare plus ; le sang violet qui circule dessous, quand il circule et ne se fige pas en plaques noires quelque part. À plusieurs reprises, les premiers temps, elle avait dû courir à la salle de bains pour vomir. Puis, son dégoût a disparu.

Pendant un mois, à sa demande, elle l'a soulevé tout entier dans ses bras pendant qu'on changeait le lit. Parfois même, elle le berçait un long moment avant de le redéposer sur le lit frais où il s'endormait paisiblement.

Elle ne peut plus le soulever ainsi. Ses os craquent et cassent ; dans son dos et sur ses fesses, de grandes plaies ne guérissent plus. Pour le déplacer, il faut l'étendre sur un drap et, à deux, le soulever doucement.

Il rapetisse. Il va disparaître, se fondre petit à petit aux draps ; à moins, s'il en a la force et si elle est venue ce jour-là, d'entrer dans le sexe de la géante, de trouver le passage et de remonter se loger plus haut, dans son ventre chaud, à jamais protégé par sa solide cuirasse de lard, introuvable.

Il a l'air d'avoir quatre-vingts ans. Il en a trente-huit.

Il sourit. Elle vient de dire qu'au lieu de sucer le lait des pissenlits par la racine, lui, il sucera le lait de la géante, par l'intérieur.

Elle lui donne sa bouillie.

La géante dort près de la fenêtre.

Il fait bon.

Celle qui le soigne a de tout petits seins. Il le sait.

Il le sait depuis la fin du premier mois. La géante n'était pas encore là. Et elle n'avait pas encore commencé à lui inventer des histoires lubriques. Au contraire. Elle lui parlait à peine.

Il lui avait demandé de lui montrer ses seins.

Elle s'en était offusquée, lui avait reproché son impudence. Et en elle-même, elle l'avait traité de salaud.

Il avait pleuré.

Après cette scène, elle s'était sentie triste et troublée. Elle s'était demandé pourquoi, au juste, avoir réagi de la sorte. Était-ce parce qu'elle avait des principes et que « cela ne se faisait pas » ? Ou parce qu'elle ne pouvait consentir à montrer ainsi ses seins à un étranger ? Ou parce que cet homme n'en était plus un à ses yeux et qu'il lui répugnait ? Ou bien, plus simplement, parce qu'elle avait toujours été gênée de montrer ses seins trop menus ? Elle ne savait pas.

Mais plus tard, un matin où il avait très mal, elle avait ouvert son chemisier.

Ses seins étaient effectivement minuscules. Mais les mamelons, fermes et hérissés, étaient tellement insolents qu'on ne pouvait s'en moquer. Et il ne s'en moqua pas.

Déjà à quelques reprises, il avait commencé à lui parler de ses fantasmes égrillards. Chaque fois, elle l'avait rabroué et avait mis un terme à ses histoires.

Mais à partir d'alors, non seulement elle l'a laissé raconter ses histoires, mais elle l'a écouté. Et quand il a commencé à perdre des forces et à ne plus pouvoir fabuler et parler aisément, elle a pris la relève.

Elle a deux jours de congé par semaine. Quand elle est en congé, elle vient maintenant lui rendre visite. Au début, elle restait deux ou trois heures. À présent, elle reste beaucoup plus longtemps.

Lorsqu'elle n'est pas de service, les autres le soignent, le lavent, le font manger, mais elles ne savent pas quoi lui dire. Elles parlent de la température. Du printemps qui viendra bientôt. Elles lui lisent le journal. Mais elles ne racontent pas d'histoires de giron où se blottir et de seins lourds contre lesquels dormir.

Alors il reste dans la chambre. Malgré le papier peint, les fleurs et les fauteuils de velours pêche, elle sent la mort parce que la géante n'est pas venue pour emplir l'atmosphère de sa présence chaude.

Il ferme les yeux, essaie de partir seul, dans sa tête, mais tout y est de plus en plus ralenti. La douleur s'installe sous son crâne et prend toute la place.

Aujourd'hui, elle ne travaille pas. Pourtant, elle est arrivée tôt, avant même l'équipe de jour.

Ils ne la comprennent pas. Ils disent qu'elle ne pourra tenir. Qu'elle doit se protéger. Qu'elle prend ce travail beaucoup trop à cœur. Qu'elle va se brûler. Ils ont même invoqué certaines clauses syndicales. Mais elle n'a jamais demandé de rémunération pour ce qu'ils appellent ses « heures supplémentaires ». Ils disent aussi qu'il ne faut pas jouer les héros, que c'est de l'orgueil, mais se contenter de rendre le passage plus facile, plus humain.

Elle les écoute. Au début, elle argumentait. À présent, elle ne répond plus, sinon : « Oui, oui. D'accord ! Je serai prudente. »

Elle ne leur dira rien de ses petits seins secs qui n'avaient pas voulu pousser parce que, pendant son enfance et son adolescence, on lui avait laissé entendre que « cela » était sale : les seins, les fesses, le sexe ; et même en parler.

Elle ne leur dira rien du plaisir étriqué qu'elle a toujours connu jusqu'au moment où elle l'a rencontré, lui, et ses histoires.

Et surtout, elle ne leur dira pas que c'est ici, dans ce mouroir de luxe, auprès de ce presque cadavre qui ne la touche jamais et qui n'a plus pour sexe qu'un peu de peau plissée, qu'elle s'est sentie devenir sexuelle et vivante.

Mais à lui, elle a tout dit.

Elle est venue si tôt parce qu'elle a rêvé la nuit dernière. Et son rêve était lié à une question qu'il lui avait posée. Il lui avait demandé s'il était vrai que les ours mâles avaient un os dans le sexe. Elle l'ignorait, mais elle avait promis de s'informer.

Elle était passée à la bibliothèque. Aucun des huit livres qu'elle avait consultés ne parlait du sexe des ours.

Elle avait demandé à la bibliothécaire de l'aider. Mais celle-ci avait cru qu'elle se payait sa tête. Elles avaient discuté un moment, puis la bibliothécaire avait dit: « Et qu'est-ce que ça peut bien vous faire, à vous, que les ours aient un os là ou pas ? »

Pendant la nuit, elle avait rêvé. Ils faisaient l'amour. C'était lui, elle en était sûre, mais en même temps, il était un ours. Un ours jeune et vigoureux. Il avait dit: « Même malade, même mort, j'aurai toujours un sexe ! » Et ils avaient ri.

Ce matin, elle a apporté son manteau de chat sauvage.

Pendant qu'elle le lave, elle lui raconte une histoire de bêtes.

Il est nu au milieu du drap fleuri.

Elle ne remet pas les couvertures sur son corps desséché, mais le couvre de la fourrure et lui dit qu'il est l'ours.

Son œil s'allume. Il flaire longuement la fourrure.

Puis, tout bas, il lui demande si la géante est venue, elle aussi.

Du menton, elle indique le coin de la chambre, près de la fenêtre.

Aussitôt qu'il la voit, la géante se lève et marche lentement vers lui.

Soie mauve

Elle porte une mince écharpe de soie enroulée plusieurs fois autour de sa gorge.

Ce foulard fragile semble relier sa tête au reste de son corps.

L'étoffe est indigo aujourd'hui. Hier, elle était perle. Avant-hier, fuchsia. Pour les autres jours, je ne me souviens plus.

Je n'ai jamais vu son cou nu.

J'ai tenté à deux reprises de défaire ce foulard. Elle s'est alors figée, durcie, refroidie. Elle s'est dégagée de l'étreinte et s'est emportée.

Quand elle s'enfonce dans l'eau de la rivière, je vois une algue collée à son cou.

Le papier peint de ma chambre est vert. Chaque chambre porte le nom de la couleur qui y domine. J'ai demandé la chambre verte dont les murs sont recouverts d'une végétation d'aquarium. Du lit ou de la chaise de rotin où je suis assis, près de la fenêtre, je peux voir l'imperceptible déplacement des algues, de gauche à droite, de droite à gauche, selon le mouvement de masse de l'eau. Parfois, j'aperçois le bref éclair de minuscules poissons argentés qui se déplacent en bloc.

La femme à l'écharpe de soie habite la chambre mauve. Pourtant, tout y est blanc, sauf ses écharpes dispersées. Un parfum sucré se dégage du papier peint où des lilas blancs, grandeur nature, débordent par endroits, en lourdes grappes. C'est l'odeur qui est mauve. Comme ses yeux qui me glacent. Je ne m'habitue pas à leur couleur. Je la soupçonne de porter des lentilles teintées, aussi obstinément qu'elle porte ses écharpes. Si elle changeait de chambre, elle n'hésiterait pas à se faire des yeux d'albinos ou d'oiseau tropical.

De ma fenêtre, je vois la rivière. Elle coule étroite et peu profonde entre les pierres rondes et lisses. De vieilles dames vont s'y étendre, dans des renfoncements qui semblent créés exprès pour recevoir leurs corps. Elles y restent des heures à laisser l'eau les engourdir.

La femme à l'écharpe se baigne plus haut, juste avant la digue et la cascade, dans l'eau profonde, un trou d'à peine huit mètres de largeur, sans fond, creusé dans le roc, à la dynamite, m'a-t-on dit. On croyait pouvoir y aménager un bassin pour les clients de l'auberge. Mais les parois sont trop abruptes. Peu de gens s'y hasardent.

Elle s'y enfonce et disparaît. Très longtemps. J'ai cru qu'un passage, sous l'eau, menait à une grotte où elle pouvait reprendre de l'air. En son absence, j'ai plongé pour découvrir cet endroit secret. Je n'ai rien trouvé.

Quand elle remonte à la surface, le bout des deux longs pans de son écharpe apparaît d'abord. Puis elle émerge lentement et se laisse flotter, ses yeux mauves fixés vers le ciel. Elle est immobile. Elle ressemble à une morte.

Au début, quand je la voyais ainsi, je sortais de ma chambre et courais jusqu'au bord de la fosse. Son regard se détachait lentement du ciel pour descendre sur moi. Ses pieds, ses jambes et ses hanches s'enfonçaient doucement. Elle disparaissait, verticale, sans me quitter des yeux. Elle me regardait un moment à travers l'eau limpide avant de se perdre dans le noir.

Lorsque je la vois marcher vers cette fosse pour s'y noyer, je ferme les volets de ma fenêtre et je lis, ou je sors marcher dans la plantation de pins. Les arbres y sont soigneusement alignés. Ils ont sensiblement la même taille et leurs branches basses ont été coupées. Cet ordre et ce dépouillement me conviennent.

Elle ne va jamais dans cette plantation. Elle préfère la forêt touffue où elle disparaît comme dans l'eau. Je n'ai pourtant jamais vu sa peau éraflée par les arbrisseaux du sous-bois ni piquée par les insectes.

La première fois qu'elle n'est pas rentrée pour le repas du soir ni pour celui du lendemain matin, j'ai cru qu'elle s'était perdue. J'ai signalé son absence à l'aubergiste sans vouloir lui montrer mon inquiétude. Il m'a dit qu'elle aimait dormir ainsi en forêt, parfois. Elle n'avait pourtant rien apporté, ni nourriture ni tente. Rien.

Elle est revenue vers midi, les vêtements propres, pas même froissés, comme si elle avait dormi debout ou comme s'il ne s'était écoulé qu'une heure depuis son départ.

Un jour, je l'ai suivie. De loin. Son écharpe rouge me guidait à travers le feuillage. Je la perdais souvent de vue, mais elle réapparaissait toujours. Puis, à un moment donné, j'ai eu beau attendre, regarder, je n'ai pas revu l'éclat vif de la soie. Je n'aurais pu retrouver seul le chemin de l'auberge. Mon imprudence m'étonnait.

Je me suis assis et j'ai attendu.

Au bout d'un certain temps, j'ai entendu un léger bruit derrière moi sur la gauche.

Elle était là, debout, appuyée contre un arbre, ses yeux mauves encore plus mauves que je ne le pensais.

Je me suis levé et je me suis tourné vers elle. Sa tête était renversée. Je voyais clairement ses seins à travers le tissu mince de son chemisier. Elle avait rejeté les deux pans de l'écharpe sur ses épaules.

Je me suis approché.

Elle a allongé les bras et les a mis comme un foulard à mon cou, ses doigts noués sur ma nuque. J'ai ouvert son chemisier. Elle m'a doucement tiré vers elle et sa langue a léché ma bouche avant de s'y enfoncer lentement. Son sexe était mouillé, déjà.

Ma bouche a glissé sur sa joue, jusqu'à son oreille. J'avais envie de mordre son cou nu. J'ai commencé à dénouer l'écharpe.

Elle s'est figée un bref instant, puis elle s'est écartée brutalement. Ses yeux mauves sont devenus opaques.

Elle s'est mise à parler bas, d'une voix dure. Elle disait des choses que je ne comprenais pas, en longues tirades, des choses qui avaient l'air destinées à quelqu'un d'autre.

Elle disait que je gâchais toujours tout avec mes idées saugrenues, que je lui compliquais la vie, que je ne la voyais pas, elle, que j'aimais une image, qu'elle en avait assez de mes manières et de mes extravagances.

Elle n'arrêtait pas. Je ne l'avais jamais encore entendue parler si longuement et si distinctement.

Ses yeux mauves se sont embués d'un coup et elle s'est tue. Son visage s'est transformé : une infinie désolation a soudain remplacé la colère.

Elle s'est détournée et nous sommes revenus à l'auberge en silence. Je l'ai suivie de loin, sans oser m'approcher.

J'ignore depuis combien de temps elle séjourne dans cette auberge. Ni jusqu'à quand elle y restera. Je suis incapable de l'imaginer ailleurs.

Moi, j'étais venu m'y reposer quelques jours. Je m'y suis attardé. À cause d'elle. Un jour de plus. Une semaine. Un mois. J'ai demandé qu'on m'envoie mes malles.

J'attends qu'elle parte. Ou qu'elle meure. Ou qu'elle m'aime.

L'auberge fermera bientôt. La nuit, je rêve que les fenêtres et les portes sont barricadées, que les meubles sont recouverts de housses, qu'il fait noir et qu'on l'a enfermée dans la chambre mauve, pour la saison morte. Elle est étendue sur le lit comme à la surface de l'eau. Son corps est enroulé dans ses écharpes qui lui forment un linceul. Des branches de lilas fané jonchent le sol. Le froid est intense. Son corps est dur comme la pierre et ses yeux mauves, qui fixent le plafond, semblent de verre.

Au lieu de m'angoisser, ce rêve m'apaise. Je préférerais la savoir morte ou gelée dans cette auberge que la voir préparer ses valises et regagner la ville où l'attendent peut-être un travail, un enfant, un amant.

Elle n'est jamais venue dans ma chambre, bien que je l'y aie invitée. Elle dit qu'elle n'aime pas le vert. Je ne la crois pas. À cause des arbres.

Peu après l'avoir suivie dans la forêt, je suis allé jusqu'à sa chambre. La porte était entrebâillée. Je l'ai ouverte.

Elle était couchée et ne portait qu'une écharpe mauve, beaucoup plus longue que les autres. Elle me regardait, les yeux cernés.

J'ai refermé la porte.

Je me suis approché et je me suis lentement étendu sur elle. Presque aussitôt, je l'ai pénétrée, sans lui retirer l'écharpe, hésitant même à l'écarter de ses seins, préférant la toucher à travers l'étoffe, la soie dans ma bouche comme une langue de chat.

Par la suite, elle a laissé souvent la porte de sa chambre entrouverte, pour que j'y entre, à n'importe quelle heure du jour et de la nuit. Je me demandais si d'autres y venaient aussi.

Une journée chaude d'août, elle m'a entraîné loin, en amont de la rivière. Les renfoncements y étaient plus larges et plus profonds que ceux près de l'auberge. Elle s'est dévêtue et s'est allongée à contre-courant. Elle s'est soulevée et a tendu les bras vers moi, doucement.

J'ai fait un mouvement vers elle, mais elle a laissé retomber subitement les bras et la tête. L'eau a recouvert aussitôt son visage. J'ai cru qu'elle se jouait de moi de nouveau. Mais près de son oreille droite, l'eau s'est teintée de rouge. J'ai glissé la main derrière sa tête et je l'ai relevée rapidement. Sa nuque était rigide et son regard, vitreux. Je l'ai sortie de la rivière et je l'ai étendue sur la berge. Le sang venait de sous l'écharpe. J'ai commencé à la dénouer. Deux tours. Il en restait quatre au moins.

Ses mains se sont posées sur mes poignets avec violence et elle a crié : « Laisse-moi ! »

J'ai essayé de la calmer. Je lui ai dit qu'elle s'était vraiment blessée, qu'elle saignait.

Elle a dit : « Ce n'est rien. Rien. Ce sont tes fantasmes ! »

Elle s'est levée et s'est rhabillée rapidement. Elle a remis le foulard en place. Il était taché de sang.

*

Les vacanciers sont partis. Nous sommes les derniers, elle et moi. Il reste moins d'une semaine avant la fermeture.

Sa porte est presque toujours entrouverte.

Elle ne parle jamais. Sinon ce murmure quand elle s'adresse à l'aubergiste ou à ceux qui assurent les différents services.

Je ne lui parle plus, de peur de briser quelque chose : la cloche de verre sous laquelle elle vit, ou le charme. Je ne sais pas. D'ailleurs, je n'ai rien à lui dire. Sinon que j'aimerais que l'été ne s'achève jamais, et que nous restions dans cette auberge. Moi, prisonnier de son regard mauve. Elle, prisonnière de mes yeux qui la suivent, l'observent, l'absorbent.

*

Depuis trois jours, elle a disparu.

Le premier matin, j'ai cru qu'elle était partie. Mais ses écharpes sont dans sa chambre, avec ses robes, ses bracelets, ses parfums. Dans le même désordre.

C'est ma dernière nuit. Je ne peux me résoudre à quitter cette auberge demain sans savoir où elle se trouve.

*

Ce matin, en ouvrant les volets, j'ai aperçu son écharpe mauve à la surface de l'eau.

Je suis sorti et je l'ai cherchée dans la rivière. J'ai plongé dans la fosse. Je l'ai ensuite cherchée dans la forêt.

*

Elle est couchée dans les fougères. Elle a maintenant les yeux verts. Juste un peu trop feuillage. Le corps minéral.

Son cou est nu.

La montée du loup-garou

Il neige.

Montée Loup-Garou, Morin-Heights, PQ., J0R 1H0. Je n'y suis jamais allée. Mais ce lieu existe. Je l'ai vu sur la carte. J'en ai reçu trois lettres. Et ce matin, je me prépare à y partir. Quelqu'un là-bas m'attend.

*

La première lettre m'est parvenue le mois passé. Il neigeait déjà. Sur l'enveloppe, on avait écrit mon nom avec soin, à la main. L'écriture était fine et belle. Elle ressemblait à la mienne, mais plus soignée.

Le nom de l'expéditeur était inscrit à l'endos, en majuscules : UJJALA. Peut-être un nom de boutique indienne, d'école de yoga ou de groupe de méditation transcendantale. J'ai répété le mot, à haute voix, sans trop savoir comment le prononcer : Ujala, Oujala, Ujaya. J'ai senti l'enveloppe. Elle ne sentait rien de particulier et pourtant je me suis prise à penser à l'Orient, à l'encens, à la blanchisserie chinoise du quartier où j'habitais enfant, à la fumerie d'opium du *Lotus bleu*.

Suivait le nom du rang : *Montée Loup-Garou*. Ces mots évoquaient pour moi des histoires que ma grand-mère me racontait, des images de métiers à tisser, de collets, de lièvres raidis, des odeurs de laine et de fourrure. J'ai regardé dehors. Il neigeait à gros flocons. Montée Loup-Garou. Ce nom allait bien avec la neige.

Plus bas, on avait écrit le nom du village : *Morin-Heights.*

Dans ces quelques lignes au revers de l'enveloppe, des mondes aux imageries inconciliables s'entrechoquaient.

J'ai retourné l'enveloppe. Le timbre n'était pas d'une série courante. Il avait été émis pour Noël. Une poupée ancienne y était reproduite en entier. J'ai approché l'enveloppe de mes yeux. Sur la robe de la poupée, de minuscules fleurs semblaient dessinées. Je distinguais mal. Il pouvait s'agir aussi bien de petits personnages ou de la réplique même de la poupée du timbre. Une tunique bleue recouvrait la robe et en cachait la majeure partie. Seuls le col Claudine, les manches et le volant du bas apparaissaient.

L'oblitération masquait le visage de la poupée.

J'ai ouvert l'enveloppe et j'ai sorti la lettre.

Elle commençait par : « Ma chère Catherine. »

Je suis aussitôt allée lire la fin : « Je t'embrasse très tendrement et je t'attends, Ujjala. »

Même si la lettre m'était bel et bien adressée, j'ai cru à une mystification.

J'ai commencé à lire. Le ton était intime. Je n'y décelais ni ironie ni persiflage. Cette personne semblait bien me connaître. Elle me parlait de façon simple et chaleureuse de l'essentiel de ma vie et de mes préoccupations.

Au fur et à mesure de ma lecture, mon malaise grandissait. Beaucoup de détails relevaient de ma vie strictement personnelle, de mes façons d'être et d'agir lorsque je suis seule, de pensées intérieures que je n'ai jamais exprimées ouvertement. Aucun de mes amis ne me connaissait suffisamment pour m'écrire une telle lettre.

Dans ces six feuillets bleus, écrits du même souffle, rien n'était superflu ou banal. Une grande douceur traversait le texte. Et pourtant quelqu'un brisait patiemment, à petits coups de plume, la bulle de mon intimité.

Ce quelqu'un, il ou elle, avait pris soin d'omettre tout adjectif ou participe qui m'aurait permis de déterminer s'il s'agissait d'un homme ou d'une femme. Peut-être à cause des deux *a* contenus dans son nom, de l'écriture très fine et du propos, j'ai pensé qu'Ujjala était une femme.

Je ne savais si cette lettre provoquait en moi plus de plaisir que de désagrément.

Pour des raisons qu'Ujjala ne précisait pas, toute communication entre elle et moi avait été pendant longtemps totalement interrompue. Elle était néanmoins informée, j'ignorais comment, de tout ce qui me concernait. Elle parlait peu d'elle. Elle évoquait en termes vagues un long voyage dont elle serait enfin revenue. Elle parlait de son besoin de me revoir comme d'une nécessité.

J'imaginais qu'Ujjula était une déesse. Des grappes de fleurs violacées se mêlaient à sa longue chevelure. Sixième chakra oriental. La tête. L'ouverture.

Moi, je restais figée au bleu. L'énergie refusait de me traverser entière. Elle bloquait même ma gorge et y formait en permanence une boule compacte.

Ujjala, de sa Montée Loup-Garou, m'appelait à elle pour m'irradier, m'électriser, m'ouvrir, me faire passer au mauve.

*

Les jours suivants, j'ai relu plusieurs fois cette lettre.

Tantôt, j'étais prise de terreur. Ujjala devait m'avoir épiée longuement pour me connaître aussi bien. Je me sentais nue, démasquée, magnétisée par cette femme-louve. J'avais peur qu'elle me dévore dans sa montée.

Tantôt, j'avais des accès d'euphorie, comme si je retrouvais en elle quelqu'un de très cher dont j'avais été trop longtemps éloignée. L'envie me prenait alors de partir, en toute hâte, la rejoindre.

Mais la méfiance reprenait vite le dessus.

Le troisième jour, je me suis assise au petit secrétaire de bois que j'avais installé à l'étage, devant une fenêtre au bout du couloir. Dehors, il neigeait toujours, lentement. La neige s'empilait, floconneuse et légère, sèche, silencieuse. J'ai fait glisser vers le haut le panneau qui fermait l'écritoire.

Sur la tablette principale se trouvaient deux ensembles de papier à lettres intacts reproduisant des tableaux d'un peintre scandinave.

Sur l'un, deux femmes marchaient le long d'une grève où l'eau venait sans bruit écumer à leurs pieds. Elles se parlaient tout bas. Sur l'autre, deux fillettes se tenaient, à demi vêtues, près de leur lit. L'une laissait traîner au bout de son bras gauche une poupée qui lui ressemblait. La toile était titrée : *La mère et ses petites filles*. Aucune mère n'y était représentée.

Je ne savais lequel choisir. Ce que j'avais à dire ne convenait ni à l'un ni à l'autre. J'ai sorti des feuilles blanches et j'ai commencé une lettre froide où je posais à Ujjala une série de questions laconiques : Qui êtes-vous ? Que me voulez-vous ? Comment avez-vous appris ce que vous savez de moi ? Rapidement, je suis devenue agressive.

Je me suis relue. Mes injures et mes accusations étaient excessives.

J'ai eu peur que, par télépathie ou quelque autre pouvoir, Ujjala ait accès à ce que je venais d'écrire. J'ai brûlé cette lettre par crainte de possibles représailles.

Pour conjurer le sort, j'ai sorti le feuillet sur lequel les deux amies marchaient et je me suis remise à lui écrire.

Cette fois, je suis tombée dans l'excès contraire. Sans relever l'insolite et l'indiscrétion de sa lettre, je parlais à

Ujjala comme si vraiment un lien fort et intime nous unissait.

La nuit était tombée. Les flocons descendaient toujours dans un ralenti surprenant.

J'ai relu ma lettre. Elle était mièvre et insipide.

Je l'ai brûlée aussi.

J'étais trop épuisée pour recommencer. Je n'arriverais jamais à trouver le ton juste. J'ai décidé d'oublier Ujjala et de me coucher.

Quelques jours plus tard, je recevais une autre lettre. L'oblitération ne masquait pas la figure de la poupée sur le timbre. C'était la même poupée que sur mon papier. Pas de doute ! Je me suis alors souvenue que cette poupée m'avait suivie dans mon enfance.

Dans cette deuxième lettre, reçue une semaine à peine après la première, Ujjala s'inquiétait de mon silence. Elle craignait que je ne voulusse briser, par quelque incompréhensible dérobade, ce lien qu'elle avait maintenu malgré tous les obstacles pendant tant d'années. Le reste de la lettre parlait de choses que nous avions vécues ensemble à des moments précis. Les lieux et les faits étaient réels. J'en étais frappée de stupeur.

Sa seconde lettre était un plaidoyer amoureux. Ujjala y évoquait ce qui était susceptible de m'attendrir et de m'amener à renoncer à l'idée de rupture définitive. À cause du ton, j'ai cru un instant qu'Ujjala était un homme, peut-être un ancien amant ou un parent proche. Cela allait plus loin. Ujjala avait vécu ce qu'elle me racontait non pas avec moi mais en même temps que moi, de l'intérieur. Elle ne décrivait que des situations que j'avais vécues seule, mais elle en parlait exactement comme si elle avait été présente.

Je me suis imaginé qu'Ujjala était une sœur jumelle, mon double exact, de qui très tôt j'aurais été séparée. Malgré le temps et l'espace, Ujjala m'aurait suivie partout grâce au pouvoir d'une télépathie gémellaire que je ne partageais pourtant pas avec elle. Elle m'aurait suivie inlassablement, attendant patiemment de pouvoir enfin m'atteindre et me rappeler à elle.

J'ai relu les deux lettres en supposant qu'Ujjala était ma sœur jumelle. C'était la meilleure hypothèse. Mais l'énigme demeurait entière. Je ne croyais pas vraiment à mes propres spéculations.

Depuis la première lettre, je me sentais traquée dans mes repaires les plus secrets. Ce qu'on qualifie habituellement de privé et d'intime était éventré, mis au grand jour. Ujjala avait assisté, parfaitement dissimulée, au déroulement de ma vie. Elle était peut-être là en cet instant.

Je me suis levée et je suis descendue.

*

Noël approchait.

La neige continuait de tomber. L'inquiétude avait succédé à l'étonnement. Il n'y avait ni vent ni rafale. La neige était légère et lente, mais elle tombait sans cesse depuis plusieurs semaines.

J'ai fait des courses quand même et je suis allée chez des amis. J'avais besoin de sortir. À la maison, Ujjala m'obsédait. J'avais l'impression d'être suivie, épiée.

Dehors aussi, je sentais sa présence partout. Un jour, je l'ai vue. Elle était debout derrière un comptoir dans un grand magasin. Elle me regardait. Sans la quitter des yeux, je me suis déplacée vers elle à travers la foule. Elle a souri et s'est détournée lentement. J'ai hâté le pas. Elle a disparu. Je ne sais pas à quoi je l'ai reconnue. Mais c'était elle. J'en suis sûre.

*

La nuit dernière, je ne suis pas rentrée.

Ce matin, en arrivant, j'ai regardé aussitôt dans la boîte aux lettres. Il n'y aura plus de courrier avant le long congé. J'espérais et craignais en même temps y trouver l'enveloppe bleue et la poupée du timbre.

Elles y étaient.

Avant même de déverrouiller la porte et d'entrer dans la maison, j'ai décacheté l'enveloppe : un feuillet ! Ujjala ne voulait pas passer la Noël seule dans sa Montée Loup-Garou. Il fallait que j'y vienne. Sinon, elle mourrait.

L'écriture, si régulière et fine dans les premières lettres, était nerveuse et tremblée. De gros flocons tombaient sur l'encre et créaient un lavis en fondant.

Du pied, j'ai enlevé la neige entassée devant le seuil de ma maison pendant la nuit. Je suis entrée.

Ma décision était prise : je devais partir.

*

Je mets quelques effets dans un sac de voyage. Je fais le tour de la maison. Au rez-de-chaussée, la neige bouche certaines fenêtres. À mon retour, la maison aura peut-être disparu. La ville aussi. J'arrose quand même les plantes et je nourris le poisson rouge.

Dans l'auto, je regarde sur une carte la distance qui me sépare de Morin-Heights. Le voyage sera long et risqué. On a décrété l'état d'urgence à cause de la neige qui ne cesse de tomber. Les équipes de déneigement travaillent jour et nuit.

Les routes où je m'engage sont étroites et dangereuses. Plusieurs sont fermées. Je dois rebrousser chemin, effectuer de longs détours. Parfois, le passage est si ténu et les remparts si hauts que j'ai l'impression d'être dans une fosse, ou de circuler dans des tranchées badigeonnées de chaux.

Je dois souvent m'arrêter pour me ravitailler, me reposer ou me réchauffer. Ce trajet m'épuise. Mon attention se concentre sur le mince tracé blanc qui se distingue à peine des remblais, du ciel et de l'air aussi blancs. Même la nuit reste imprégnée d'une lumière diffuse.

À chaque étape, les gens m'accueillent comme s'ils m'attendaient pour m'aider à poursuivre. Personne ne me questionne ou ne tente de me détourner de mon projet.

Pourtant, plus j'avance, plus les conditions se détériorent. La neige a épaissi. Les flocons se resserrent et tombent plus rapidement. Mes pieds et mes mains sont gelés. Je n'arrive plus à me réchauffer.

Tout est trop blanc, égal et silencieux. J'ai des hallucinations. J'aperçois quelqu'un qui court sur la route. Il vient vers moi, avec de grands gestes. Je freine brusquement. Je dérape. À l'instant du choc, la vision disparaît.

J'ai perdu la notion du temps. Je gravis une longue pente qui n'en finit pas.

*

Je n'avance plus.

Au milieu de la route, à cent mètres de moi, Ujjala. Dans sa main gauche, elle tient un masque blanc de plumes d'oiseau.

Je descends du véhicule et me dirige vers elle.

Lentement, elle se retourne. Elle porte une longue cape souple. Elle est pieds nus. Elle avance sans bruit. Elle m'entraîne vers une maison dont j'aperçois les formes et les lumières comme au travers du givre.

Je la suis sans effort.

Peu à peu, sans l'avoir cherché, je rejoins Ujjala. Elle avance toujours. Nos corps se fondent un instant, transparents, puis se traversent. C'est moi maintenant qui la devance et l'entraîne vers cette maison sans porte.

Le sol de la grande pièce où je pénètre est blanc. Une fine neige tombe lentement du plafond. À droite, au fond, se dresse un sapin illuminé de chandelles. L'arbre est relié au sol par ses racines. Il a surgi à travers les lattes de bois franc du plancher et a poussé longuement, d'année en année, en attente de ce Noël. Il est plein de petits oiseaux blancs dont les ailes bruissent dans l'air calme.

Autour de l'arbre, de grandes boîtes enrubannées se sont accumulées au fil des ans. Certaines sont presque entièrement recouvertes de neige. D'autres viennent à peine d'y être déposées.

Mes pieds sont nus. La cape est à présent sur mes épaules.

Je me retourne. Catherine est restée sur le seuil. Elle pleure. Elle a froid. Je l'emmène près du feu. Je lui parle.

Dans les boîtes, au pied de l'arbre, il y a des poupées. Elles sont vivantes. Chacune représente Catherine à une époque différente de sa vie. Il n'en tient qu'à elle, à son rythme et dans l'ordre qu'elle désire, d'ouvrir les boîtes.

*

Catherine ouvrira les boîtes à rebours.

Dans la première, elle se trouvera telle qu'elle est à présent. Elle ne s'attardera pas. Elle en ouvrira d'autres.

Elle remontera ainsi le fil du temps. Lentement. Comme la neige.

Noël passera. Un autre et bien d'autres.

Catherine se désespérera, voudra repartir, m'injuriera.

Un jour, à l'intérieur de la boîte qu'elle ouvrira, l'enfant aura dix ans.

L'enfant dira : « Je t'attendais. »

L'interdite

Elle s'obstine à boire le verre de quinquina qu'on lui a apporté par erreur et qui la fait légèrement grimacer quand elle en avale une gorgée.

Elle n'a pas osé dire au serveur qu'elle avait commandé autre chose.

Elle n'aura pas son vin blanc à la liqueur de cassis.

Tant pis.

Pourtant, elle attendait ce moment depuis deux jours.

Il lui a fallu deux jours pour se décider à sortir de chez elle et à venir à la terrasse de ce restaurant, boire un kir en fumant un cigarillo. Comme jadis. Mais la terrasse n'était pas encore construite alors. Et elle n'était pas seule.

Le soleil est fort et haut. Elle ne regrette pas d'avoir mis un chapeau, même si Germaine lui a signalé, sans ménagement, comme pour le reste, que les chapeaux n'étaient plus à la mode et que les siens, en plus d'être surannés, étaient franchement défraîchis : les feutres regorgent de poussière, les tressages de paille se défont à maints endroits, les fleurs sont fanées, les fruits, pourris. Béatrice n'est pas d'accord.

Pour venir prendre son apéritif, elle a choisi son chapeau amarante décoré d'une belle grappe de raisins bleus.

Il vient justement d'en tomber un par terre.

Béatrice le cherche et le trouve, deux tables plus loin.

« Le ridicule tue, ma chère, plus que la maladie ! Méfiez-vous ! »

Depuis son retour, Béatrice a l'impression que Germaine est entrée dans sa tête.

Béatrice se répète à voix basse : « Il faudra voir à cela. Il faudra voir à cela. »

Elle se rassoit, boit d'un trait le quinquina qu'elle a bu, jusqu'ici, à petites gorgées, et en commande un second.

*

Béatrice a été absente neuf ans et trois mois.

Personne ne sait où elle est allée.

Son corps est resté couché, sans bouger, sans rien dire, déserté.

Un jour, elle a rouvert les yeux.

C'était le mois passé.

*

Personne ne l'attendait plus, évidemment.

Sauf Raoul, mort pourtant depuis quatre ans.

*

Dans la maison, les choses sont restées intactes : les tapis, les meubles, les lampes, les toiles, les livres, les disques. Même le linge de Béatrice dans le vestiaire de l'entrée, dans sa penderie, dans ses tiroirs. Sur sa coiffeuse : ses colliers, ses crèmes, ses rouges, son vernis. Comme si elle n'était jamais partie.

Les vêtements de Raoul sont restés là aussi.

Elle reconnaît certaines plantes. Le yucca, le ficus et le crassula qui sont devenus de petits arbres. Les fougères. Les cactus.

Germaine, ni personne, ne pouvait toucher à rien tant que Béatrice vivrait. Il leur était même interdit de pénétrer dans cette maison. C'était écrit, signé devant notaire.

Quelqu'un était chargé de veiller à l'entretien. La maison devait paraître habitée. Au printemps, on rentrait de grosses gerbes de lilas pour la parfumer. On entretenait soigneusement les rocailles de Béatrice. On livrait le journal chaque jour.

Quand Béatrice est revenue chez elle, elle s'est aussitôt reconnue, retrouvée.

*

Ils étaient quatre à la ramener. Germaine en tête.

Sitôt entrés, ils se sont mis à circuler à travers les pièces, touchant à tout, ouvrant les placards et s'exclamant : « Lugubre ! », « Il va falloir faire un ménage dans ce musée de cire ! »

À l'instant où Germaine s'est emparée des lunettes de Raoul, restées sur la petite table juponnée près de son fauteuil, Béatrice a crié.

Elle n'avait pas quitté l'entrée.

Les autres sont sortis des chambres et de la cuisine, en silence, et ont rejoint Germaine au salon.

Béatrice les a regardés, a pointé du doigt la porte et a répété : « *Dehors !* »

Germaine est alors devenue doucereuse et elle a dit, d'une voix chantante : « Mais, ma chère, tu as besoin de nous. Nous ne pouvons pas te laisser seule. »

*

Ils ont fini par sortir. Germaine comprise.

Mais elle est revenue. Deux heures plus tard.

*

Béatrice a demandé des hors-d'œuvre et des fromages.

Elle a le temps.

Elle a mis la robe et le léger manteau de crêpe saphir qu'elle avait portés lors d'une grande sortie avec Raoul, juste avant qu'elle ne s'absente. Un de ses tailleurs clairs ou l'une de ses robes de cotonnade aurait mieux convenu au lieu, à l'événement et à la température.

Mais cette sortie avait pour elle un caractère tellement exceptionnel qu'elle a quand même opté pour cet ensemble.

*

Béatrice s'est promenée lentement dans les rues avoisinantes avant de venir s'asseoir à cette terrasse. Elle voulait revoir les maisons de son quartier, les parterres fleuris, les arbres.

Elle sait que le téléphone doit sonner chez elle. Germaine doit la chercher, maugréer.

Béatrice rit dans son verre de quinquina qu'elle trouve beaucoup moins amer que le premier.

*

Dans le sous-sol de sa maison, les éditions du journal quotidien parues depuis neuf ans sont bien rangées sur des étagères, à l'abri de l'humidité.

À la fin de chaque mois, la pile de journaux était solidement ficelée et numérotée. Dans un fichier, un bref résumé des principaux événements du mois était consigné.

Déjà Béatrice a repéré, dans ces résumés, quelques événements sur lesquels elle veut revenir.

Mais les quatre mille pages du journal que Raoul a écrites, pendant son absence, dans des cahiers bleus finement lignés, l'intéressent bien davantage.

Ce n'est pas un véritable journal, mais plutôt des lettres qui lui sont, au début implicitement puis peu à peu explicitement, adressées.

Partout, au fil des pages, elle retrouve : « Ma si chère Béatrice », « Mon tendre amour », « Ma douce absente ».

*

Germaine est venue chaque jour.

Elle tente vainement de s'immiscer dans les affaires de Béatrice, de s'arroger des droits.

Elle veut convaincre Béatrice qu'à son âge, après une si longue et si totale absence, elle est incapable de s'administrer elle-même, qu'elle ne peut rien sans Raoul, que les choses ont changé, qu'elle est totalement dépassée et qu'il vaudrait mieux qu'elle s'en remette, « pour son bien », au jugement de ses belles-sœurs et de son beau-frère.

Germaine parle sans arrêt.

Béatrice se tait et vaque à ses occupations.

*

À l'une des tables de la terrasse, juste en face de Béatrice, un jeune couple est venu s'asseoir. Par moments, ils s'embrassent. Et sous la table, il a glissé sa main sur le genou de sa compagne.

« Ma belle endormie,

Comment te dire que, même absente, tu m'es présente constamment. Un autre jour se lève. Il est cinq heures à peine. Les oiseaux m'ont tiré du sommeil. C'est la saison des amours. Très souvent encore, en ouvrant les yeux, j'ai ce réflexe de me retourner vers toi pour te regarder dormir. Là-bas, ils s'étonnent que ton corps repose si calmement et que ton visage soit si serein. Moi, j'y reconnais ce que j'ai vu tant d'années à mon réveil. Comment ne pas croire que tu dors, simplement. »

*

Béatrice a choisi la salade mimosa. À l'époque, elle ne figurait pas au menu. Le mot « mimosa » l'a attirée.

Elle a maigri un peu pendant ces années, mais elle était déjà mince et cela paraît à peine. Son visage non plus n'a presque pas changé. Contrairement à celui de Germaine.

Germaine dit que Béatrice ressemble à une auto remisée depuis dix ans et que l'on viendrait de ressortir.

*

Sur la table, Béatrice a ouvert, bien à plat, un calepin.

À quelques pas, sur le trottoir, des pigeons marchent, picorent, s'envolent en battant l'air bruyamment ; puis reviennent se poser, marchent, s'envolent de nouveau. Reviennent.

Au crayon, Béatrice dessine la scène. Les mouvements se décomposent. Les deux oiseaux bougent, se multiplient sur la feuille, se chevauchent, se superposent.

*

Les oiseaux sont partis.

Mais dans le calepin de Béatrice, ils restent, s'en vont et reviennent pour toujours.

*

Béatrice feuillette le carnet.

Sur certaines pages, elle s'est exercée à calligraphier de diverses façons les lettres de l'alphabet. Elle a même tenté quelques enluminures.

Elle y retrouve aussi des pensées, des strophes de poèmes, des couplets de chansons. Quelques portées musicales.

Des noms, des adresses. Des brouillons de calculs, épars. Et d'autres esquisses. Des chats. Des fleurs. Des oiseaux. Des arbres. Des visages.

Celui de Raoul. De face. De profil. Rieur. Absorbé. Ailleurs.

Des mains aussi.

*

Deux enfants sont morts avant terme, en elle.

Il y a plus de trente ans.

Pourquoi pense-t-elle à cela, maintenant ?

*

Elle commande un thé.

Le jeune serveur lui demande si elle le veut ordinaire ou spécial.

*

Pour elle, il existe du thé noir et du thé vert. Du thé Salada, et les autres.

Elle dit : « Je ne comprends pas. »

*

Penchée au-dessus de sa tasse, Béatrice hume le parfum sucré et rond de son thé aux fruits royaux.

*

Béatrice se dit qu'elle est certainement allée quelque part pendant ces neuf ans.

Mais elle ne se souvient de rien, sinon d'une odeur très douce comme à la maison quand elle préparait ses confitures de framboises ; et d'un murmure, semblable à celui de Raoul lorsque, dans une autre pièce, il parlait au chat, doucement.

*

Cet après-midi, Béatrice ira au cimetière.

Puis elle reviendra chez elle.

Elle coupera quelques pivoines et les mettra dans un vase au salon.

Sur les pétales, il y aura sûrement des petites fourmis désorientées.

Béatrice les glissera une à une sur un bout de papier et elle ira les remettre au jardin.

*

Si Germaine est là, Béatrice lui offrira de goûter avec elle le thé aux amandes qu'elle aura acheté, en rentrant, chez Marie-Bonbon.

Le jeune serveur lui a donné cette adresse.

L'homme à l'enfant

C'était un jour lent. La neige tombait immobile. L'air était blanc.

Depuis combien de temps marchais-tu ?

Je t'ai vu venir de loin.

Tes pas traînaient, laissaient des traces.

La neige entre nous était intacte.

Et moi-même, d'où venais-je ? Où allais-je ? Est-ce de t'apercevoir qui m'a poussée soudain à changer de direction ? J'ai marché vers toi. Jusqu'à ce carrefour, au milieu de la ville, où nous nous sommes arrêtés, séparés par la rue.

Malgré le long trajet, tu n'avais rien vu de notre convergence. Tu étais figé à cette intersection, devant ces feux qui ne cessaient de repasser au rouge.

Tu portais dans tes bras un enfant de huit ans. Il était malade. Il avait les yeux cernés. Il sanglotait. Tu le berçais.

Tu avais parcouru ce chemin pour lui, dans l'espoir que quelqu'un le guérirait. À présent, tu ne savais plus pourquoi tes pas t'avaient mené ici. Tu as cru t'être trompé de route. Tu as pleuré longtemps, ta tête contre celle de l'enfant, sans que j'ose bouger.

Après, tu t'es redressé. Tu m'as vue. La ville a disparu. Nous avons marché l'un vers l'autre.

Je me suis arrêtée à quelques pas de toi. J'ai entrouvert mon manteau. Tu as vu que je portais moi aussi un enfant moribond, une petite fille maigre à force de vouloir disparaître.

Elle bougeait si rarement qu'il m'arrivait de la croire morte. Alors je poussais de grands cris. Elle ouvrait ses yeux fauves et, pour me rassurer, essayait de me sourire. Ses lèvres étaient gercées. Le moindre mouvement les fendillait. Le sang perlait.

Je m'en voulais de l'oublier souvent, trop absorbée par mes projets et mes désirs. Elle ne tentait rien pour me rappeler à elle quand je l'abandonnais ainsi. Aucun geste, aucun son. Juste ce froid de plus en plus intense et cette présence plus dure, pierre greffée en plein plexus solaire.

Ce poids au milieu de mon corps me ralentissait, puis me paralysait complètement. Je restais alors des heures, des jours, immobile, assise à regarder fixement au dehors, sans attendre rien ni personne. Quand mon univers s'était vidé de sa substance et que je m'étais désertée, je m'étendais sur le sol pour m'y recroqueviller.

Sans la chercher, je la retrouvais alors, elle dont je venais encore d'oublier l'existence. Elle me semblait figée à jamais dans sa faim, dans sa soif, dans sa peur, agrippée à moi, les membres raidis, les paupières fermement closes, les lèvres scellées, le visage crispé, tendu, comme si elle avait dû lutter de toutes ses forces contre un ennemi démesuré et qu'elle s'était pétrifiée, à bout de vie.

Aussitôt que je reprenais conscience de sa présence, je sortais de ma torpeur. J'entrais pendant des jours dans une folle inquiétude. Je l'appelais, la touchais, la berçais, la couvrais de flanelle et de laine, ne la quittant plus des yeux, attendant le moindre signe qui m'aurait indiqué qu'elle n'était pas morte.

J'appliquais de l'huile sur ses paupières et sur ses lèvres pour qu'en s'ouvrant elles ne se déchirent pas. Je massais ses jambes et ses bras pour les réchauffer et les délier. Leur maigreur me frappait. L'enfant avait plus de sept ans. Mais quand je l'oubliais, elle s'amenuisait au point d'avoir presque la taille d'un prématuré.

Au fil des jours, elle reprenait lentement vie.

Ses yeux s'ouvraient enfin.

Elle se réanimait, mais les soins que je lui prodiguais, les présents que je lui offrais, mes efforts pour qu'elle devînt une enfant saine et vive ne servaient pas à grand-chose. Même après plusieurs mois, elle était encore là, greffée à ma poitrine, incapable seule du moindre pas ou de parler sans s'épuiser.

L'impatience me gagnait. Je finissais par ne plus pouvoir supporter son regard triste, son corps osseux et blême.

Un jour venait où, lasse et défaite, je refermais les pans de mon manteau sur elle et regagnais la ville pour y reprendre des occupations qui, je le savais, me permettraient d'oublier cet échec en moi, cette enfant que non seulement je n'arrivais pas à guérir, mais que j'étais incapable de nourrir et d'aimer de façon constante et soutenue.

J'ignore pourquoi j'ai marché vers toi.

Pourquoi je n'ai pas fui lorsque j'ai vu que tu portais toi aussi un enfant misérable.

Au lieu de détourner mon regard de toi et de changer de route, j'ai abandonné mes projets et j'ai marché vers toi.

Nous sommes restés debout longtemps sans rien dire.

Mes pieds et mes doigts se sont glacés.

*

Mais en suis-je bien sûre ?

Je me souviens de la neige.

Tu marchais.

Ton pas traînant te donnait une allure nonchalante. Tu avais glissé tes mains dans les poches de ton blouson de suède. Tu ne portais aucun enfant. Du moins, je n'en ai rien vu.

Tu t'es arrêté au feu rouge. Juste en face de moi. De l'autre côté de la rue.

Tu as vu que je te regardais.

Le feu est passé au vert.

Tu as secoué la tête pour en chasser la neige et tu es venu vers moi, frondeur.

Au milieu de la rue, tu t'es arrêté et tu m'as dit : « On se connaît ? » J'ai fait signe que non, de la tête. Tu as dit : « C'est dommage ! »

Nous avons ri. Comme ça. Pour rien. Subitement fébriles, gênés.

J'avais les pieds gelés. Nous sommes entrés dans un café.

*

Ce jour-là et les jours suivants, même si nous nous sommes maintes fois dévêtus, tu n'as pas vu mon enfant, je n'ai pas vu le tien.

Ni les mois suivants.

Puis, la petite fille cachée en moi a commencé à me peser plus lourdement. Plusieurs fois, les mots me sont venus aux lèvres et j'ai failli te parler d'elle. Mais je n'ai pas osé. De crainte que tu ne fuies devant tant de lourdeur. Tu me voulais ailée.

Tu ne disais rien non plus du mal en toi.

L'automne est venu. Un automne de brume et de bruine. La transparence de l'air était troublée.

Le silence s'est installé.

Un soir, nous nous sommes querellés violemment.

Cette nuit-là, nous avons dormi seuls. Ensemble.

Il a fait froid.

Au matin, nous avons vu, dans un coin de la chambre, nos deux enfants assis l'un contre l'autre. Ils nous regardaient. J'ai eu honte.

Je me suis levée et suis allée reprendre la petite fille.

Tu as repris le petit garçon.

Tu as remis ta chemise. J'ai remis ma robe.

Nous avons fait comme si nous n'avions rien vu.

*

Par la suite, il nous est arrivé souvent de retrouver nos enfants ainsi, hors de nous.

Nous avons mis moins de hâte à les reprendre.

Tu as fini par me parler de lui. Je t'ai parlé d'elle.

Ils allaient visiblement mieux. Parfois même ils riaient.

*

Un jour, tu es sorti pour aller à la ville. Sans lui.

Il est resté de pierre pendant des heures.

Je l'ai pris dans mes bras. Je l'ai bercé. Quelque chose s'est ouvert en lui. Il a pleuré.

La petite fille était demeurée par terre. Elle a fredonné des berceuses avec moi. Il s'est rendormi.

Tu n'es revenu que beaucoup plus tard. Je t'ai redonné ton enfant et j'ai pris le mien.

Tu es retourné souvent à la ville. Sitôt que ton enfant te voyait franchir le seuil, il courait se blottir dans mes bras. Il restait là jusqu'à ton retour.

La petite fille ne jouait plus. Elle avait regagné le coin où ils se tenaient au début. J'essayais d'expliquer au petit garçon que je voulais la prendre aussi de temps en temps, mais il s'agrippait plus fermement encore et ne répondait pas.

Par la suite, même quand tu revenais, j'avais peine à détacher ton enfant de mon corps pour te le redonner, tant il résistait.

La petite fille dépérissait. Lorsqu'enfin je pouvais la reprendre, elle se fondait à moi, ne bougeant plus et respirant à peine. Je m'endormais souvent ainsi, elle, épuisée, au creux de moi.

Puis, en ta présence même, il m'est arrivé de m'éveiller et que ce soit lui qui soit là. Pendant que nous dormions, il te quittait, m'arrachait la petite fille et prenait sa place. Au réveil, je la voyais recroquevillée dans un coin, inerte.

Peu à peu, je t'en ai voulu de tes absences. Et j'en suis venue à détester ton enfant.

Un jour, je l'ai arraché violemment de moi, malgré ses cris, malgré ses pleurs, malgré ses coups, et je te l'ai redonné.

Je suis partie en emportant ma fille.

*

Cette fois, il m'a fallu des mois pour la réanimer. Je ne suis pas retournée à la ville.

Pendant longtemps, je n'ai rien su de toi.

Une année a passé. Puis une seconde année.

La petite fille a repris des forces.

Elle a grandi.

*

Un jour d'hiver, nous sommes sorties.

Nous avons marché dans des plaines enneigées.

Au loin, je vous ai vus.

Ton pas ne traînait plus.

L'enfant marchait à tes côtés.

L'intrus

En sa présence, on ne peut plus rien dire. À peine respirer. L'air se raréfie d'un coup comme si ses poumons drainaient tout, ne laissant aux autres que l'air vicié qu'il rejette et qui, souvent, pue l'alcool. Sa voix occupe tout l'espace.

Souvent, la nuit de son arrivée, sa femme a ce rêve : elle est assise tranquillement dans la cuisine lorsqu'elle entend soudain un énorme vacarme dans l'entrée. Elle se retourne et voit son mari debout sur la porte qu'il vient d'ouvrir d'un violent coup de pied et de faire tomber à plat sur le sol. Il crie alors : « Salut, la mère ! J'arrive ! » Elle se réveille brusquement. À ses côtés, l'homme prend les trois quarts du lit et ronfle à tue-tête. Elle n'arrive plus à se rendormir. Pendant les trois semaines où il sera là, elle dormira à peine. Il finira par lui reprocher son teint pâle, ses cernes, son manque de vitalité — surtout au lit — et sa « neurasthénie ». Ce qui lui servira d'excuse pour deux ou trois virées nocturnes pendant son séjour : « Si c'est ainsi que tu accueilles ton homme, je préfère aller voir ailleurs ! » Et vlan, la porte claque.

Après ses deux ou trois mois d'absence, il se croit toujours très attendu. Il est le roi qui revient dans son royaume.

Les premiers jours, il inspecte son domaine, émet des verdicts. Toute modification doit lui être rapportée, soumise et expliquée. S'il l'accepte, on respire. Sinon, il faut défaire et rapidement remettre en place, se départir de la nouvelle acquisition ou, du moins, la faire disparaître. Cette tournée provoque souvent des larmes qu'on doit dissimuler aussi.

La tension dans la maison est grande.

Ses jugements n'épargnent pas les personnes. Il est préférable de ne pas modifier trop rapidement ou trop radicalement sa coupe de cheveux ou son allure vestimentaire et de ne pas s'engager trop vite dans de nouvelles activités ou de nouvelles amitiés. On risque de devoir revenir en arrière.

Maxime a l'impression de ne plus être chez lui. Il se sent en visite. La maison lui paraît autre. À table, il parle à peine, sinon pour répondre aux questions de son père et rire à ses plaisanteries d'un goût douteux. La voix de Maxime est empruntée et faussement décontractée. Un étranger pourrait penser que le père et le fils s'amusent bien tous les deux, entre autres à se moquer de la mère et des deux adolescentes. Ni Maxime, ni sa mère, ni ses deux sœurs ne s'y laissent prendre.

Le père passe plusieurs heures avec Maxime, dans sa chambre, l'air de s'intéresser hautement à tout ce qui concerne son fils. Il veut *tout* savoir de lui. Au début, le père est toujours jovial. Il regarde un peu partout dans la chambre, pose des questions, discute électronique, auto, base-ball. Puis il ouvre des tiroirs, des livres, des cahiers, des placards, fouille dans les sacs, dans les poches. Depuis longtemps, Maxime a appris à « filtrer » sa chambre avant la venue du père. Ce qui ne doit pas être vu est déposé sous la remise, au jardin, ou dans d'autres endroits sûrs, dans des sacs imperméables ou dans des cartons. Certaines choses sont même soigneusement enterrées dans de petites boîtes de métal. La conversation commence donc toujours sur un ton amical, mais rapidement viennent les conseils, les reproches et les directives. Il peut s'agir aussi bien d'une amie à ne plus fréquenter, d'une activité à abandonner ou d'un cours auquel s'inscrire. Le père sort de la chambre en ordonnant à son fils de cesser de pleurer comme une mauviette. Il confisque toujours quelque chose : un livre, un canif, une photo, un baladeur, un gilet sur lequel est imprimé le nom d'un groupe rock, n'importe quoi, que Maxime avait cru non compromettant, mais qu'il ne reverra jamais.

Avec Alexandra et Isabelle, le père agit différemment. Il entre dans leur chambre, fouille partout sans se gêner, émet de brefs commentaires, confisque aussi, mais ne discute pas et reste à peine une dizaine de minutes. Ce qui l'intéresse d'elles, depuis trois ans, c'est leur croissance... Il fait d'abord des farces à ce sujet, entre autres lorsqu'il sort leurs sous-vêtements de leurs tiroirs. Il s'informe de la grandeur qu'elles portent maintenant. Feint de s'étonner des réponses, exige de voir « nature », prétextant qu'on veut le duper et qu'un père a le droit de savoir. Les jeunes adolescentes protestent, mais elles finissent toujours par être obligées de retirer leurs chandails. Il sort les jeunes seins des soutiens-gorge et s'exclame : « Ça grossit, ça grossit ! » Puis, d'une main, il vérifie dans la culotte si les poils poussent bien. Devant leurs réticences et leurs larmes, il leur dit de ne pas tant s'offusquer, de cesser de jouer aux saintes-nitouches, qu'il y en aura plusieurs après lui et qu'il vaut mieux qu'elles s'habituent tout de suite.

Avant de sortir, il jette quelques dollars sur leurs lits, leur ordonne de cesser de pleurer et, surtout, de ne rien raconter à leur mère, sinon elles s'en repentiront.

Leur mère est un caméléon.

Quand le père n'est pas là, elle est rieuse, décontractée, proche de ses enfants.

Deux jours avant le retour du père, l'atmosphère change.

La mère entre d'abord dans un silence de pierre pendant lequel elle s'agite un jour entier pour passer au crible toute la maison. Le but véritable de l'opération n'est pas tant de rendre la maison impeccable de propreté que d'enlever toute trace de ce qui n'est pas conforme au père. Elle replace les meubles qu'elle a déplacés ; dissimule des revues de mode, des livres, des bandes dessinées, des disques et même des plantes et de petits encadrements ; retire du garde-manger et du réfrigérateur des aliments, des douceurs qui ne correspondent pas aux critères du père ; cache quelques vêtements, des crèmes de beauté, des fards, etc.

Après ce grand nettoyage, la mère est intérieurement transformée. Lorsqu'elle se couche enfin, très tard, elle est purifiée. Une nonne.

Le lendemain, elle est une autre femme : froide, distante et sévère avec Maxime, Alexandra et Isabelle. Elle les sermonne, leur dit que leur père travaille dur, dans des conditions difficiles, qu'il leur envoie l'argent dont ils ont besoin, qu'il vient si peu souvent qu'il faut accepter ces quelques changements à leur façon de vivre. Il faut lui plaire, éviter de le mettre en colère. C'est un homme très bon. Ils doivent le respecter.

Les trois enfants protestent : il ne les respecte pas, pourquoi eux devraient-ils le respecter ? La mère répond : « Parce que c'est *votre père !* » Maxime répond invariablement qu'il pourrait se passer de son père. La mère rétorque alors qu'il devrait se méfier de ses paroles : ce que l'on souhaite trop ardemment peut très bien arriver ! Cette mise en garde, au lieu de culpabiliser Maxime, produit l'effet contraire. Pendant des jours et des nuits, les trois enfants se perdent en d'étranges prières, souhaits et incantations pour appeler cette mort qui, malgré ce qu'en dit la mère, n'arrive jamais.

Maxime ne comprend pas pourquoi sa mère défend cet homme qui la brise, elle aussi, et peut-être même plus qu'eux. Il l'entend souvent se plaindre, la nuit, lorsque le père est là. Au matin, elle a parfois des ecchymoses, même sur le visage. Une nuit, Maxime s'est approché de la porte de leur chambre : son père voulait que sa mère avouât combien d'hommes étaient « passés sur elle » pendant son absence. Elle répétait en pleurant : « Aucun. Je te le jure ! » d'une voix saccadée, comme s'il la frappait ou comme s'il s'enfonçait violemment en elle.

Un jour, Maxime avait demandé à sa mère pourquoi elle prenait toujours la défense de cette brute et pourquoi elle ne s'en séparait pas.

Le visage de sa mère était devenu lisse et cireux. Elle avait essuyé lentement ses mains puis, le regard perdu devant elle, elle avait dit doucement, comme s'il s'agissait d'une irréfutable évidence : « Mais parce que c'est mon mari. »

Maxime avait crié : « Ben voyons, maman ! Ça tient plus debout des histoires de même ! Réveille-toi, maudit ! »

Sa mère était comme sortie d'un rêve. Elle avait regardé Maxime et lui avait dit, en se mettant à pleurer : « Tu peux pas comprendre, toi ! »

Elle s'était réfugiée longtemps dans sa chambre. Quand elle en était sortie, elle avait retrouvé son visage joyeux et jamais plus ils n'avaient abordé le sujet.

*

Les enfants savent que demain la mère entrera dans son silence de pierre et dans son agitation frénétique, qu'elle aseptisera la maison et la rendra neutre et froide, qu'elle se stérilisera elle-même et se déshumanisera jusqu'à n'être plus qu'un robot que le père pourra téléguider.

Les enfants savent aussi qu'elle voudra, comme chaque fois, les séquestrer en eux-mêmes pour les trois prochaines semaines.

Ils savent que la mère ne fera rien, ne dira rien, quoi que le père leur fasse. Comme elle n'a jamais rien fait, rien dit. Comme elle a toujours refusé de voir. D'entendre. De les entendre lorsqu'ils voulaient lui expliquer ce qu'ils vivaient en présence de l'intrus.

Maxime a seize ans.

Alexandra, quatorze.

Isabelle, treize.

Ils ont calculé. À eux trois, ils ont quarante-trois ans. Ils sont plus vieux que leur mère, de sept ans. Ils ont l'âge du père.

Demain, ils ne laisseront pas leur mère entrer dans son silence et son agitation.

La maison restera intacte.

Eux aussi.

Peu importe ce qui arrivera quand le père, d'un violent coup de pied, abattra la porte d'entrée.

Au pire, s'il les tue, cette fois ce sera physiquement. Jamais plus autrement.

Fêlures

Il y eut un bruit de verre brisé.

Je n'allais pas me lever. Je savais qu'aucun vase, aucune statuette, aucune vitre dans la maison ne serait brisé. La vaisselle dans les armoires serait intacte. Les améthystes n'auraient pas éclaté dans les écrins.

Je regardai le dessin que j'avais commencé. Une fois de plus, le corps était cassé. À la hanche, où l'os affleure. La plume était restée sur le papier qui buvait l'encre. Une araignée noire dévorait le corps.

Depuis des semaines, je m'acharnais à reproduire mon corps. Si je n'arrivais pas bientôt à me projeter intégralement sur une feuille, un carton ou une toile, j'allais m'effacer, disparaître à jamais. Je le sentais.

Dès l'aube, je m'installais devant mon chevalet ou à ma table à dessin. Et recommençais le dur travail.

Un jour, mon corps est apparu par fragments : d'abord l'arête d'une joue. La chute des reins. Un coude. Sans liens entre eux. Trois lieux discontinus. Trois taches. Mon corps était un puzzle troué dont je devais trouver les morceaux manquants. Je passai des heures à chercher la main, la nuque, le cœur. Progressivement, les lignes se rejoignaient. Je me définissais peu à peu. Le croquis était presque achevé. Il ne restait qu'un espace vide, au visage. Il y eut un bruit de verre brisé. J'oubliai complètement ce qu'il fallait y mettre. Peut-être était-ce un œil ? Il n'y en avait qu'un. J'essayai plusieurs fois d'imaginer le deuxième. Il ne convenait jamais. Il demeurait étranger au reste du corps.

Le lendemain, je recommençai. J'avais sorti les pastels. Je me composais par touches : le flou sombre des cheveux, le rose de la bouche cendrée, la blancheur des mains immobiles. J'estompais les contours. Sous mes doigts retenus, les poudres se mêlaient. J'étais douce. Mais le bruit survint. Plus près. Plus fort. En sursautant, je posai, par inadvertance, mon poignet sur le corps poudreux. Je me brouillai sur l'image. Le foncé des cheveux obscurcit la pâleur du visage. Le regard se perdit. Je me salis. Il fallait tout reprendre.

Le bruit de verre brisé se produisait toujours quand j'achevais de m'inventer. Et il semblait se rapprocher de jour en jour. Au début, je me levais et je cherchais longtemps dans la maison déserte ce qui s'était cassé. Mais les choses étaient intactes.

Un autre jour, j'avais sorti la toile, les pinceaux et les tubes. J'étais avec un homme. Je croyais sa présence capable de conjurer l'effritement du verre. Je travaillai des heures, en silence, à naître sur la toile. L'homme voulait parler. L'homme désirait le corps. Il s'impatienta quand le soleil commença à descendre. Je devais rester sourde à ses mots. Je n'étais pas encore entière. Je devais d'abord m'achever. Il éleva soudain la voix puis cria. Les ondes firent éclater le verre. L'homme toucha le corps peint. Et je me perdis dans les huiles mêlées sur sa main.

Ce jour-là, je sus que le bruit venait de l'intérieur. Il s'était élevé depuis très loin, dans mon ventre.

Le temps passa et de fines lézardes apparurent sur mes jambes, mes seins, mon front.

Plus je me fissurais, plus je cherchais à me recréer ailleurs.

Les bruits de verre s'intensifiaient. Ma peau prenait la couleur des porcelaines fragiles. Je devenais translucide. La peur me pâlissait davantage.

Je sortis la gouache et, sur une immense feuille fixée au mur, j'essayai, à pleines mains, de me redonner mes couleurs et mon opacité. Mais les bruits de verre se multiplièrent et la peinture coula, en longues traînées, et me défigura.

Je m'aperçus que de minuscules morceaux de verre commençaient à se détacher de mon corps. Je courus de miroir en miroir. Mais leur tain s'était écaillé.

Je cliquetais à chaque pas, comme si j'étais couverte de colliers et de bracelets de pierres précieuses.

Je m'agenouillai et ramassai des morceaux épars. J'essayai de les ordonner sur la table. Mais d'autres tombaient à un rythme accéléré. Mes mains s'effritaient et n'avaient plus de prise. Je vis se défaire les osselets transparents de mes doigts. Ils firent un bruit de clochettes.

Puis il neigea doucement sur la table.

« Crêpe de Chine »

Les pales du ventilateur malaxent lentement l'air au-dessus du lit, m'étourdissent. Même les yeux fermés, je les vois tourner, à cause de leur chuintement.

Tu dors.

J'ai chaud.

*

J'ai relevé les oreillers.

Par la fenêtre, la mer de Chine. La vraie.

Tout ce parcours pour elle.

Une folie.

*

« Crêpe de Chine. » Mon premier parfum. Pour mon dixième anniversaire. L'Orient tout entier dans un petit flacon, dans une odeur...

Ma mère dit : « Du bout du doigt, tu en mets où bat ton cœur. »

J'ouvre mon chemisier et j'en dépose une goutte sur ma poitrine.

Ma mère dit : « Pas là. »

Le long de mon cou, ma mère cherche mon cœur. Elle le trouve, à deux endroits. Et aussi, caché dans mes poignets.

*

Vingt ans plus tard. Je n'en trouve plus la trace. Ni du parfum. Ni de mon cœur.

Je pars.

*

Dans la chambre, l'arôme sucré des longues cigarettes épicées que je fume.

Et surtout, ton fidèle parfum, si étroitement lié à toi qu'on croirait qu'il est le parfum même de ton corps.

Dans la chaleur humide, dans la moiteur de nos peaux, il m'obsède.

Tu dors.

Tu te remets mal du voyage : trois jours ; quinze heures de vol ; trois escales ; douze heures de décalage.

Tu te fais mal à l'écrasante chaleur.

Au sambal trop épicé pour ta bouche.

À moi.

*

Ici, la terre est instable, tremblante. Volcanique.

Un monde éclaté, émietté. Des centaines d'îles et des milliers d'îlots.

La terre s'est fracturée un jour, s'est effondrée sous le poids des sédiments. Failles, fosses sans fond dans la mer.

Comme en moi quand je suis venue.

J'ai fui mon continent, ma terre trop stable, ma géographie trop connue. Ma maison. Toi.

Je ne voyais plus rien.

Paysages délavés.

Amours éventées.

Imperceptiblement, au fil des gestes, des mots, des ans, ma passion, ma lumière englouties.

Et c'est ici que j'ai cru qu'il me fallait venir les chercher, dans cette chaîne de feu, dans ces reliefs tourmentés, dans ces récifs de corail coupants au bord des fosses sous-marines, dans ces cratères, dans ces mers qui se mêlent et se font, dans l'encadrement des îles, intérieures.

Toi, tu disais : « Pourquoi ? Pourquoi là ? »

Je disais : « Je ne sais pas. »

« Crêpe de Chine. »

Tu disais : « Tu pourrais retourner à Paris, Corfou ou Agadir. »

Je disais : « Non. »

Et toi : « Que cherches-tu ? Pourquoi un an ? Pourquoi si loin ? Est-ce vraiment si nécessaire à ton art ? »

*

Depuis huit mois, je ne fais que des encres. Je n'ai pas touché les huiles et la toile. D'ailleurs, je n'ai rien apporté de cela avec moi.

Là aussi, j'avais l'œil tué.

*

Tu gémis dans ton sommeil.

Tu appelles quelqu'un, vaguement.

Est-ce moi ?

*

L'hôtel est vieux, un peu délabré. Il date de l'époque coloniale. Pas d'air conditionné, mais de grandes ouvertures et de grandes moustiquaires. Des meubles d'osier et de rotin. Des nattes aux motifs compliqués. Des abat-jour en forme de fleur de lotus inversée.

J'ai choisi de t'accueillir ici. Loin des grandes villes où tu m'aurais trop vite replacée dans l'image de moi que tu gardes, depuis des années, dans ta tête, comme une idée fixe. Loin des grandes villes où tu te serais trop facilement reconnu, puisqu'en plusieurs d'elles on retrouve l'Occident. Mais loin aussi des contrées trop exotiques, des îles trop marginales où tu aurais pris peur et te serais effarouché. Peut-être même enfui.

Ce que j'ai à te montrer de moi est à mi-chemin entre ces mondes.

*

Les mots me manquent.

Depuis ton arrivée, il y a trois jours, je ne t'ai presque pas parlé.

J'ai marché avec toi, à l'ombre, dans la végétation luxuriante qui entoure l'hôtel. Je t'ai montré la mer de Chine, comme si tu ne l'avais pas vue par toi-même, ou plutôt, comme si j'avais voulu te dire quelque chose d'important de moi, à travers elle. Nous avons bu du thé, en silence, sous la véranda. Nous avons fait l'amour, mais seuls nos souffles affolés et nos cris d'oiseaux coupaient l'air lourd et se mêlaient au bruit des pales.

Je n'ai pas parlé ma langue maternelle depuis huit mois.

Depuis huit mois, je ne t'ai pas parlé autrement que par lettres, cartes, aérogrammes. Et même, les derniers temps, je t'envoyais de petits dessins à l'encre, avec à peine quelques mots.

En réalité, je m'étais tue depuis beaucoup plus longtemps. En apparence, je parlais, certes, et autant qu'avant. Sinon plus, justement par peur du vide sous mes mots. Je ne trafiquais plus, avec les autres, que les formules apprises ; et avec toi, celles que nous avions construites ensemble, pendant longtemps chargées de nous, de ce que nous étions, mais qui s'étaient vidées, peu à peu, sans que cela paraisse, comme s'assèche et se gaspille, à la longue, l'amande dans le noyau.

*

Ton sommeil est agité.

Depuis ton arrivée, tu as des cauchemars remplis d'insectes.

Dans une île, non loin, on dit que les sorciers magbabarangs recourent à des insectes pour supplicier leurs victimes, comme d'autres, ailleurs, transpercent d'aiguilles des poupées.

De quoi t'en voudrais-je tant ?

*

J'ignore pourquoi tu es venu.

Je ne m'y attendais pas.

Cela m'étonne tellement. Tout ce trajet. Pour moi.

Dois-je m'en réjouir ?

M'en effrayer ?

Peut-être es-tu venu pour me ramener avant qu'il ne soit trop tard et que tu ne reconnaisses plus rien de moi.

Ou, au contraire, attiré justement par cette part secrète de moi, issue des mers de l'Insulinde.

Peut-être aussi n'est-ce même pas moi que tu cherches, mais la réponse à des questions qui te concernent, toi uniquement.

Mais alors, pourquoi être venu me rejoindre ?

*

Tu parles peu aussi.

Et quand tu parles, il m'arrive de croire que, là-bas, pendant tous ces longs mois, tu as préparé un discours, que tu construisais et te répétais chaque jour, ajustant sans cesse le ton, cherchant les mots les plus justes, rajoutant des passages, en enlevant d'autres, pour arriver à me signifier ce que tu n'arrives pas à me dire, ici, autrement que par bribes détachées de leur contexte, insolites.

Peut-être aussi n'as-tu préparé aucun discours ? Peut-être as-tu pris cette habitude, en mon absence, de me parler souvent dans ta tête, parfois même à haute voix, lorsque tu étais seul. Et ce serait cela que tu fais quand tu me parles, me livrant çà et là des morceaux du soliloque qui se déroule en toi, sans te rendre compte de ma présence réelle et sans attendre de réponses ni de réactions de ma part. Parfois, lorsque je réagis, je te sens frémir comme si, subrepticement, je m'étais glissée dans un de tes rêves éveillés.

Tu me souris alors, étonné de me voir. Ne sachant plus quoi dire.

*

As-tu remarqué comment le personnel de l'hôtel nous regarde ?

Dans ce monde torride, bouleversé, exubérant de couleurs, de fleurs et d'épices, jamais tu ne verras, en public, le moindre geste de tendressc amoureuse.

Or constamment, depuis ton arrivée, nos corps se cherchent, se touchent. Même à table, nos doigts sur la nappe blanche.

Malgré les milliers de kilomètres que tu as franchis pour venir jusqu'à moi, la distance est encore grande entre nous. Mais nos corps se sont retrouvés dès les premiers instants, presque malgré nous, comme s'ils vivaient une existence autonome.

« Étrange », dirais-tu, si tu ne dormais pas.

Et je ne saurais pas ce qui, pour toi, est tellement étrange : cette pudeur inattendue dans ce monde excessif ; ou cette tendresse de nos corps ; ou bien le silence du reste.

*

Dans ces archipels, la terre, le feu et l'eau font de tumultueux mariages.

Des îles émergent de la mer, bouillonnantes de lave.

D'autres s'enfoncent lentement et disparaissent à jamais.

Des villages entiers sont ensevelis, momifiés sous la lave.

Il pleut de la cendre.

Rien n'est jamais acquis. Pas même le sol sous les pieds.

Tantôt la terre s'assèche, se couvre d'un profond réseau de craquelures.

Puis l'eau l'envahit, s'y enfonce, s'y englue, la recouvre, glauque, saumâtre.

Dans ces zones, les maisons sont construites sur pilotis. Ou bien, elles sont flottantes.

Maisons souvent précaires, en bois, en bambou, en fibres de palme auxquelles s'ajoutent parfois, près des villes, des bouts de tôle.

Maisons fragiles que le prochain typhon arrachera, c'est certain, balayera, comme le reste, laissant tout dévasté, méconnaissable, après.

Comment as-tu pu supporter cela tant d'années, toi, en apparence si stable, si tempéré, si calme ?

*

Dans l'histoire des trois petits cochons que ma mère me racontait, c'est toi qui aurais pensé à la maison de briques.

Pas moi.

Et pourtant…

J'ai tenté, pendant vingt ans, de cimenter mon univers de paille et de le transformer en bunker.

*

Quand les îles sont assez grandes et que les insulaires doivent quitter le littoral et se rendre dans une région plus centrale, il est courant de les entendre dire : « aller vers l'intérieur » ou « s'enfoncer dans l'île ».

Les premiers mois, j'effectuais immanquablement le voyage à la verticale. Et j'avais peur.

Mais je me suis faite à ces plongées qui mènent souvent à des terres plus fraîches et à des forêts remplies d'orchidées.

*

J'ai posé ma main sur toi et ton sommeil est devenu plus calme.

Nous ne sommes plus à l'époque des chasseurs de têtes.

Ce temps est révolu.

Tu peux dormir tranquille.

*

Demain, je t'emmènerai voir les rizières en terrasses que les indigènes, au long des siècles, ont patiemment ciselées sur le flanc des montagnes.

Tout n'est pas que désordre dans cet univers. Bien au contraire. Mais on ne peut arriver à une vision d'ensemble cohérente des éléments mobiles, hybrides et disparates qui coexistent. C'est cela qui est trompeur. À côté du modernisme, souvent baroque, des cités, certaines sociétés très primitives vivent encore à l'âge de la pierre.

*

J'ai tant de fois consenti à te montrer cette part archaïque de moi qui m'amenait quelquefois à réagir de façon primitive.

Une enfant.

Le cœur si souvent dans la gorge.

« Crêpe de Chine. »

*

Tu dors. Je te parle.

Quand tu t'éveilleras, je me tairai.

Pourquoi ?

J'ai tant à te dire.

Rien de précis. Mais tant.

Peut-être est-ce pour cela que je suis partie. Pour mieux te parler hors de ce que j'avais de trop précis à te dire.

Pour apprendre à me taire.

Désapprendre les langages connus que je maniais avec trop d'habileté. Derrière lesquels je me cachais, m'abritais.

*

Ne plus peindre, même.

*

Ce grand collier d'îles parfois dissimulées sous quelques mètres d'eau était un piège pour ceux qui, tel Magellan, cherchaient la route des épices.

Toute véritable exploration est en soi hasardeuse.

Ni toi ni moi ne pouvions supporter de laisser plus longtemps nos beaux bateaux en rade.

Quitte à n'en pas revenir.

*

Moi, je m'accrochais à toi.

Toi, tu t'accrochais au fond.

J'ai largué mes amarres.

Tu as levé l'ancre.

Je nous préfère ainsi.

*

Sous ces latitudes, le soleil se couche brusquement. La nuit tombe vite, quelle que soit la saison. Le crépuscule est bref. À sept heures, c'est déjà la nuit bleue. Car ici, très souvent, la nuit est bleue et non pas noire.

Sur la mer de Chine vacillent les lumières des pétroliers et celles des pirogues à balanciers des pêcheurs de nuit.

Tu dors.

Quelle heure est-il ?

Cela n'a aucune importance.

Tu es entré comme moi dans ce qu'un peu plus au sud ils nomment le « jam karet », le « temps caoutchouc », où l'on doit simplement laisser à la réflexion le temps qu'il lui faut pour se faire.

Que cela prenne un jour. Ou un siècle.

Rangoon ou L'imaginaire enclos

Son corps est trop blanc, comme le visage enfariné des femmes de Rangoon. Elle est mince et filiforme. Cela lui donne l'aspect d'une fragile figurine de porcelaine. À ses poignets et à ses chevilles, il y a de fines chaînettes. L'homme les a examinées de près. Il n'y a vu aucun fermoir et en a conclu qu'elles sont soudées, selon sa volonté à elle ou le désir de quelqu'un d'autre.

Dans le pavillon de son oreille droite, tout en haut, il y a une perle si petite et si bien placée qu'on la croirait incrustée dans la chair. Mais elle est retenue par une tige qui traverse la paroi et un minuscule papillon de métal, de l'autre côté.

Juste au-dessus de l'oreille, où les cheveux remontés et lissés vers l'arrière laissent voir un croissant de peau, trois autres perles ont été vissées directement dans l'os du crâne. Même si on tire un peu sur la peau autour, elles ne bougent pas.

L'homme est assis dans un fauteuil et regarde la femme dormir.

À maintes reprises, il s'est levé pour tâter son pouls du doigt. Elle est si parfaitement immobile et tellement blanche qu'il a du mal à la garder vivante dans sa tête.

Hier soir, avec des amis, il s'est rendu dans l'une des discothèques les plus huppées de la ville. Après deux nuits seul à l'hôtel, il avait envie de compagnie.

Le lieu était bondé. Pourtant, dès qu'il y est entré, il l'a remarquée, peut-être à cause de la blancheur excessive de son visage qu'accentuaient le jais des cheveux et le bleu électrique de sa robe.

Pendant plusieurs heures, il a parlé, bu, dansé avec quelques inconnues.

Il n'est pas allé vers elle.

Elle était assise à une table, avec des gens. Elle ne parlait ni ne riait. Elle souriait, simplement, et le regardait souvent.

Très tard, elle est venue l'inviter à danser.

Quand elle s'est approchée, il s'est senti intimidé. Peut-être à cause du vert d'eau de ses yeux.

Ils ont dansé. Très peu.

Ils sont rentrés à l'hôtel. Il n'a pas même eu à le lui demander.

Pendant le trajet, ils ne se sont rien dit.

Une fois la porte de la chambre refermée, elle s'est dévêtue et s'est étendue sur le couvre-lit de satin vert.

Aussitôt, elle s'est endormie.

*

Elle est sur le lit depuis deux jours. Toujours nue, immobile.

L'homme n'est pas retourné au congrès. Il a pris ses repas dans la chambre qu'il ne quitte plus.

*

Elle est couchée sur le côté, les genoux légèrement lancés vers l'avant et repliés. Son dos est entièrement recourbé et son menton touche sa poitrine. Ses bras sont projetés très haut, par-dessus sa tête.

L'homme a tenté d'éveiller la femme à plusieurs reprises.

Peu à peu, il est devenu agressif. Au point de l'invectiver à voix haute.

Il est sûr qu'elle attend quelque chose de lui et qu'elle ne bougera pas tant qu'elle ne l'aura pas obtenu.

*

À la tombée du troisième jour, l'homme s'emporte. Il saisit sa mallette pleine de documents et la lance vers la femme de Rangoon étendue sur le lit.

Aussitôt que la mallette la touche, la femme de porcelaine vole en éclats. Du ventre de la figurine en miettes, un chat s'échappe.

Le chat furète un peu dans la chambre et vient s'arrêter devant l'homme.

L'homme croit que le chat rit en le regardant.

Il dit au chat : « Qui es-tu ? Que veux-tu au juste ? »

Le chat se dirige vers la porte.

L'homme la lui ouvre.

Le chat sort lentement.

Dans le couloir, il détale comme un lièvre. On le croirait poursuivi. Il ne l'est pas.

Quelques-unes des nouvelles de ce recueil ont déjà paru dans les revues *Châtelaine*, *XYZ. La revue de la nouvelle* et *Nuit blanche*. Trois ont été lues à la radio de Radio-Canada.

Table

Cet ouvrage
composé en Caslon corps 11,5
a été achevé d'imprimer
en février deux mille sept
sur les presses de
HLN,
Sherbrooke (Québec), Canada.